QUE S

GW00646755

La femme
dans
la société française

THIERRY BLÖSS

Maître de Conférences à l'Université de Provence

ALAIN FRICKEY

Chargé de Recherches au CNRS

Deuxième édition corrigée

9ᵉ mille

Pour nos filles Déborah et Sarah,
femmes de demain.

ISBN 2 13 046192 1

Dépôt légal — 1ʳᵉ édition : 1994
2ᵉ édition corrigée : 1996, octobre

© Presses Universitaires de France, 1994
108, boulevard Saint-Germain, 75006 Paris

INTRODUCTION

« On ne naît pas femme, on le devient! » Cette formule provocatrice de Simone de Beauvoir[1] illustre notre intention de montrer en quoi l'identité féminine est une construction sociale ancrée dans l'histoire. Il s'agit ici de faire le point sur l'évolution du statut de la femme et des principaux rôles sociaux qui organisent son existence, de l'enfance à l'âge adulte.

Ce présent ouvrage limite son exploration à la société française. Son titre est délibérément simplificateur. L'usage du singulier correspond à notre volonté de souligner que la définition sociale du sexe féminin se fonde principalement sur les différences qui le séparent ou l'opposent au sexe masculin. L'étude de ces différences de sexes ne se réduit pas à un travail d'inventaire. Les pages qui suivent ne sont ni une recension misérabiliste des avatars de la condition féminine, ni un essai « flatteur », soucieux de souligner les qualités et mérites du « deuxième sexe ».

L'objectif de cet ouvrage est de mesurer l'évolution des rôles joués par les femmes dans l'école, la famille et le travail. Il s'agit d'appréhender comment, à travers leurs actions, les femmes ont tour à tour façonné leur statut d'écolière, de mère et de travailleuse. Ces trois grands domaines seront ici explorés, dans la mesure où ils rendent compte des changements probablement les plus importants opérés dans les modes de vie des femmes. Ils constituent en quelque sorte les principaux champs où l'égalité des sexes, si redoutée par les uns et si convoitée par les autres, est devenue un enjeu. La

1. S. de Beauvoir, *Le deuxième sexe,* Paris, Gallimard (1949).

participation des femmes à la vie politique et sociale, leur mobilisation au cours de ces dernières décennies ne seront qu'évoquées. Cette évolution du statut féminin dans notre société, son rôle actuel restent en fait largement méconnus et prêtent souvent à contresens ou à contre-vérités. Le fil conducteur qui guidera notre propos se résume dans une expression du langage courant, qui peut valoir principe de méthode en sciences sociales : balayer les préjugés ou idées reçues véhiculés sur la situation sociale des femmes. Tout au long de ces pages, notre réflexion sera d'ordre général. Nous tairons en effet volontairement les variations ou oppositions internes au sexe féminin, sans pour autant accréditer l'idée que les femmes constituent une catégorie spécifique et homogène.

Etablir des différences entre hommes et femmes peut sembler *a priori* évident ou banal, dès lors que l'on est persuadé que ces distinctions sont immanentes et immuables, c'est-à-dire qu'elles tiennent aux différences de nature entre le genre féminin et le genre masculin. L'entreprise devient plus instructive — mais aussi plus périlleuse, car moins conforme aux représentations courantes —, si l'on admet que ces différences de sexes ne sont pas simplement biologiques ou génétiques, mais qu'elles ont aussi et surtout une existence sociale, culturelle, ancrée et accumulée dans l'histoire d'une société. Dans cette optique, il devient alors nécessaire, pour rendre compte de la condition sociale des femmes, de cerner au mieux l'état des relations qui les unissent aux hommes.

Les changements sociaux de ces dernières décennies ont été nombreux : explosion des effectifs scolaires et multiplication des institutions d'éducation, extension du salariat et montée endémique du chômage, mutation des modes d'entrée dans la vie adulte, transformation des structures familiales, etc. Dans ces changements, on peut penser que les femmes ont joué un rôle prépondérant et inédit. Elles sont en grande partie à l'origine de l'essor spectaculaire des effectifs scolaires et universitaires ; elles ont massivement investi le marché du travail salarié, à travers une activité de plus en plus continue ; elles subissent plus souvent que les hommes les affres de l'emploi précaire et du chômage. Elles ont également initié les changements sociodémographiques les plus notables de ces dernières années : baisse de la nuptialité, baisse de la fécondité, apparition de nouvelles formes de vie en couple et en famille, et de nouveaux comportements en matière de contraception et de procréation, etc.

L'étude du « fait féminin » constitue par conséquent un révélateur des transformations de la société française dans son ensemble. Historiens, anthropologues, sociologues ne s'y sont pas trompés, en brisant depuis peu le silence qui entourait les femmes dans les sciences humaines.

Porteuses d'innovations, les femmes sont néanmoins les plus exposées aux nouvelles formes de ségrégation sociale générées par ces changements. Tout se passe comme si les discriminations de sexe séculaires avaient revêtu des formes plus complexes, moins apparentes, mais néanmoins toujours présentes et opérantes. A l'école, dans l'emploi ou encore dans la famille, les femmes se sont vu octroyer — ou concéder — de nouveaux droits, mais en même temps, et de façon contradictoire, de nouvelles inégalités entre les sexes ont vu le jour. La « dévalorisation des diplômes », la « précarité professionnelle », ou encore la solitude du « parent unique » face à l'éducation des enfants, principalement endossées par les femmes, témoignent avec force que leur émancipation sociale est loin d'être achevée.

A partir d'un point de vue transversal aux différents domaines de la vie sociale, cet ouvrage tente de réunir des connaissances utiles pour comprendre la situation actuelle des femmes, avec les éclairages nécessaires de l'histoire.

Chapitre I

L'IDENTITÉ DES FEMMES :
L'HISTOIRE D'UNE LENTE
RECONNAISSANCE SOCIALE

L'éclairage du passé permet sans doute de mieux comprendre le statut actuel des femmes dans la société française, en mesurant le chemin parcouru — et les obstacles franchis — par ces dernières dans les différents domaines de la vie sociale. Il s'agit ici de souligner les événements historiques les plus significatifs qui ont marqué l'évolution de la condition sociale des femmes, afin de mieux cerner le rôle qu'elles ont pu jouer dans l'évolution de la famille, de l'école et des relations de travail.

Cette évolution n'a pas été linéaire, elle a subi, au cours des temps, diverses fluctuations, des accélérations, des coups de freins, et parfois même de brusques retours en arrière. On peut considérer, avec P. Ariès, que le « siècle des Lumières » a joué un rôle charnière dans cette évolution. C'est en effet au cours du XVIIIᵉ siècle que les relations familiales se sont profondément transformées, et ont constitué, par là même, une première brèche dans la conception traditionnelle de la femme. Plus de deux siècles seront alors nécessaires pour que l'idée d'égalité des sexes soit fondée en droit, en attendant toujours une hypothétique réalisation dans les faits.

I. — La femme
dans les transformations de la famille

Entre le Moyen Age et le XVIIIᵉ siècle, la conception de la famille évolue peu. Sous l'Ancien Régime, la famille est diluée dans un tissu de relations communautaires. On n'est jamais seul, de jour comme de nuit, la vie sociale prenant le pas sur la vie familiale. Selon l'historien P. Ariès, cette sociabilité s'est longtemps opposée à la formation du sentiment familial, faute d'intimité. Dans ce contexte, les liens qui unissent maris et femmes ou parents et enfants sont le plus souvent dépourvus d'affection. E. Shorter[1] rappelle, anecdotes à l'appui, que le mariage, qu'il soit populaire ou aristocratique, urbain ou rural, ne doit sa cohésion qu'à des considérations de propriété et de lignage. Les liens entre époux sont par conséquent essentiellement économiques et patrimoniaux, et principalement régis par des rapports d'autorité entre sexes.

1. **Les liens économiques et autoritaires de la vie conjugale.** — Dans la France de l'Ancien Régime, la femme vit sous l'autorité du mari. On peut même parler de subordination totale. Elle assume un certain nombre de travaux, au premier rang desquels figurent les tâches domestiques. Elle forme avec son mari un couple au sens biologique puisque le couple se perpétue, mais les échanges entre époux n'ont aucun caractère d'intimité.

En milieu urbain, en effet, un couple n'est en définitive jamais seul, la promiscuité y étant totale. Selon P. Ariès[2], la densité sociale interdit l'isolement et donc toute intimité conjugale. Relations entre voisins, relations entre pairs, ou relations entre serviteurs et maîtres priment à tout instant sur les relations conjugales. L'organisation de la maison ne permet d'ailleurs pas la mise en œuvre de cette intimité de couple, puisque les pièces n'ont pas d'affectation bien déterminée : les lits sont installés dans les pièces communes. Ce n'est qu'au XVIIIᵉ siècle qu'apparaissent les chambres à coucher

1. E. Shorter, *Naissance de la famille moderne,* Paris, Seuil, coll. « Points. Histoire », 1977, p. 71.
2. P. Ariès, *L'enfant et la vie familiale sous l'Ancien Régime,* Paris, Seuil, coll. « Points. Histoire », 1973, p. 299.

indépendantes ouvertes sur un couloir et sans communication entre elles, garantissant ainsi l'intimité de la vie de couple.

En milieu rural, hommes, femmes et enfants cohabitent avec les bêtes, cette promiscuité ne favorisant pas les relations entre maris et femmes. Du reste, si le paysan semble bien souvent beaucoup plus attaché à sa terre ou à ses bêtes qu'à sa femme, c'est qu'en fin de compte la valeur sociale et économique d'une femme est moindre que celle d'une tête de bétail. En cas de perte d'une vache, seul le débours d'une somme d'argent peut la remplacer, alors qu'en cas de décès d'une épouse un remariage garantit une nouvelle dot, et donc un accroissement de patrimoine. Nombre de proverbes, cités par E. Shorter, attestent de cette absence d'affection dans le mariage, et par voie de conséquence, du peu d'attention accordée à la vie de l'épouse :

Mort de femme et vie de cheval font l'homme riche.

(Proverbe breton).

Deuil de femme morte dure jusqu'à la porte.

(Proverbe gascon).

L'homme a deux beaux jours sur terre : lorsqu'il prend femme et lorsqu'il l'enterre.

(Proverbe d'Anjou).

Très nettement subordonnée à son mari, la femme lui doit respect et obéissance. Elle est en réalité, dans la vie quotidienne, bien plus la première servante de l'homme que sa réelle compagne. Confinée aux tâches subalternes, la femme assume les activités ménagères (cuisine, ménage, etc.), ainsi que les travaux de la ferme et du potager. Ainsi, dans nombre de campagnes, les femmes ne s'assoient pas à table et se tiennent debout derrière les hommes. Elles ne prennent leur repas que lorsque ces derniers ont terminé le leur. Ce respect se manifeste également par le fait que le tutoiement entre époux est rare dans les campagnes. Le jour du mariage marque en ce sens, de façon rituelle, la fin d'une période où jeune homme et jeune fille célibataires se tutoyaient, et l'entrée dans la vie conjugale où le vouvoiement est de rigueur.

2. **L'invention du statut d'enfance et du métier de mère.** — Sous l'Ancien Régime, les enfants ne sont pas perçus différemment des adultes, dès lors qu'ils sont à même de se passer de l'aide de leur mère ou de leur nourrice, et aptes à travailler comme apprentis chez un maître, vers l'âge de 6 ou 7 ans. Leur départ précoce de la famille d'origine pour entrer dans le monde du travail les amène à ignorer fréquemment jusqu'à l'existence même de leurs frères et sœurs. Au mieux, les enfants sont des « adultes en réduction ». L'adolescence, en tant qu'âge de la vie ou catégorie de perception, n'existe pas. La société médiévale est en effet caractéristique d'un passage sans transition de la petite enfance à l'âge adulte. La socialisation de l'enfant n'est pas assurée par la famille, mais plutôt par l'apprentissage, c'est-à-dire concrètement par la fréquentation du monde des adultes, et la transmission directe des savoirs professionnels, d'une génération à l'autre.

A) *L'enfant-adulte.* — Cette entrée précoce dans le monde des adultes — en général vers l'âge de 7 ans — s'accompagne d'une séparation de la famille par la pratique — généralisée — du placement dans la maison d'autrui. Tous les milieux, qu'ils soient populaires ou bourgeois, y ont recours. P. Ariès pense que cette pratique était commune à tout l'Occident médiéval. Placé dans une famille autre que la sienne, l'enfant est censé mieux apprendre « les bonnes manières ». L'enfant est donc socialisé essentiellement par la famille au service de laquelle il entre. Le fait d'être sous la dépendance d'autrui n'a du reste aucunement un caractère humiliant, car on appartient presque toujours à quelqu'un[1]. Ce service domestique est en même temps un apprentissage, car les

1. P. Ariès, *op. cit.,* p. 296.

deux fonctions sont confondues. Il tient lieu d'éducation et dure entre sept et neuf ans, c'est-à-dire jusque vers l'âge de 14 à 16 ans environ. La transmission des connaissances se fait, quant à elle, de maître à serviteur.

Jusqu'à la fin du xviie siècle, la société de l'Ancien Régime manifeste une grande indifférence à l'enfance. Au cours de cette période,

« le sentiment de l'enfance n'existait pas ; cela ne signifie pas que les enfants étaient négligés, abandonnés, ou méprisés. Le sentiment de l'enfance ne se confond pas avec l'affection des enfants : il correspond à une conscience de la particularité enfantine, cette particularité qui distingue essentiellement l'enfant de l'adulte même jeune. Cette conscience n'existait pas »[1].

Cette indifférence à l'égard des enfants trouve son explication dans un ensemble de facteurs. Comme il vient d'être rappelé, les enfants ne sont que peu physiquement présents au domicile familial. On doit aussitôt ajouter que si les enfants comptent peu, à cette époque, c'est aussi et surtout parce que leur avenir est très hypothétique, parce qu'ils risquent à tout moment de disparaître. Jusqu'à la fin du xviiie siècle, près d'un enfant sur deux ne dépasse pas la cinquième année. La vie de femme mariée se résume en une succession de couches, ponctuées de décès. On citera en exemple le cas de Pierre Pontet, vigneron à Pignan, près de Montpellier, et d'Agnès Fabre, mariés en 1728[2]. Le registre paroissial de leur famille est édifiant :

Alexis né le 5 mars 1729	mort le 25 mai 1735
Antoine né le 8 octobre 1730	
Marie née le 17 octobre 1734	morte le 22 mars 1735
Pierre né le 6 mars 1736	
Fulcrande née le 4 mars 1739	morte le 30 août 1739
Madeleine née le 6 juin 1740	
Martine née le 15 février 1742	morte le 14 juillet 1742
Agnès née le 17 juillet 1743	morte le 21 septembre 1746
Aubert né le 31 décembre 1745	mort le 22 août 1746

1. P. Ariès, *op. cit.*, p. 177.
2. Exemple cité par J. Gélis, M. Laget, M.-F. Morel (présenté par), *Entrer dans la vie. Naissances et enfances dans la France traditionnelle*, Gallimard-Julliard, coll. « Archives », 1978.

Soit six enfants décédés en bas âge (quatre filles et deux garçons) sur neuf portés à terme, chose commune à l'époque. Du fait de la très forte mortalité infantile, les parents évitent ainsi de s'attacher aux nourrissons, c'est du moins la thèse retenue par nombre d'historiens. Ainsi, fréquentes sont les citations du mot de Montaigne qui ignore combien d'enfants il a perdu en bas âge, et qui ne s'en émeut point : « J'ai perdu deux ou trois enfans en nourrice, non sans regrets ni sans fascherie. »[1]

Cette très forte mortalité ne frappe pourtant pas indifféremment tous les enfants. On peut noter que les petites filles ont longtemps connu une plus grande fragilité devant la mort. Elles sont en effet plus exposées que les garçons aux risques de maladies infectieuses, avant d'atteindre l'adolescence. Cette inégalité de sexe devant la mort, qui ne s'estompera qu'à la fin du XIXe siècle, s'explique selon les démographes[2] par les conditions défavorables de soins qui leur étaient plus ou moins inconsciemment faites, tout à fait caractéristiques de la plus faible attention accordée au sexe féminin. Dans l'Europe du XVIIe au XIXe siècle, nombre de témoignages de pasteurs, de médecins, ou encore de chroniqueurs, rapportés par E. Shorter[3], insistent sur les différences de traitement alimentaire réservé aux enfants en fonction de leur sexe. Les petites filles sont sevrées plus tôt que les garçons, leur ration alimentaire est plus réduite et moins riche en protéines, les meilleurs morceaux étant destinés aux garçons.

Les différentes monographies et les études démographiques faites sur la population française sous l'Ancien Régime attestent une nette surmortalité des petites filles, mais également des femmes en âge de procréer. Les difficiles conditions de déroulement des grossesses

1. M. Montaigne, *Essais,* liv. II, 8.
2. Nous nous référons précisément ici à J. Vallin, Durée de vie : les femmes creusent l'écart, *Population et sociétés,* novembre 1988, n° 229.
3. E. Shorter, *Le corps des femmes,* p. 32-33. Cité par A. Chenu, Sexe et mortalité en France, *Revue française de sociologie,* XXIX, 1988.

et des accouchements, associées au problème de mauvaise alimentation ou de malnutrition des femmes enceintes, sont les principaux facteurs d'une forte mortalité maternelle.

Bien que les causes de mortalité ne soient étudiées systématiquement par sexe que depuis 1925, en France, les informations statistiques disponibles mettent en évidence la relation entre la surmortalité féminine et les difficiles conditions de vie des femmes. Elles concordent également pour établir que cette surmortalité féminine, aux âges de l'adolescence et de la maternité, n'a disparu que depuis les années quarante[1]. Aujourd'hui, la plus grande mortalité des hommes s'impose dans les esprits comme un fait universel observé à tout âge, en tout pays et même à toute époque. Ce phénomène est en fait récent dans l'Europe occidentale, particulièrement en France, et succède à une longue période au cours de laquelle les femmes étaient socialement les plus exposées.

L'histoire des femmes devant la mort échappe elle aussi à toute vision linéaire. On ne peut, en effet, résumer l'évolution de la situation des femmes du XVIIIe siècle à nos jours, en attestant une amélioration progressive et continue de leur sort. Le XIXe siècle, à travers les pénibles conditions de travail qu'il a inaugurées dans l'industrie, aura sans conteste marqué une régression dans l'évolution de leur condition sociale ainsi qu'une aggravation de leur situation devant la mort.

La surmortalité « naturelle » des filles n'est sans doute pas la seule manifestation du moindre intérêt social longtemps accordé au sexe féminin, et consécutivement du sort plus ingrat qui lui était réservé. L'infanticide des petites filles, pratique que l'on imagine volontiers appartenir à la préhistoire de la civilisation, n'a en réalité été interdit, en France, qu'au début du XVIIIe siècle.

---

1. D. Tabutin, La surmortalité féminine en Europe avant 1940, *Population,* n° 1, 1978, p. 133.

B) *Un amour maternel de plus en plus valorisé.* — L'amour, qu'il soit maternel ou paternel, n'a qu'une très faible valeur sociale et morale dans la France de l'Ancien Régime. E. Badinter[1] inverse l'idée communément admise selon laquelle les mères ne s'intéressaient pas aux enfants du fait de leur très forte mortalité, en postulant que si les enfants mouraient en si grand nombre, c'est parce qu'on ne s'intéressait pas à eux. Cette indifférence à l'égard des enfants a sans doute été considérablement renforcée par la pratique de la mise en nourrice, qui, à l'origine, est l'apanage des classes privilégiées. Les mères de la noblesse, devant l'obligation de tenir leur rang social, ne peuvent s'encombrer d'un bébé au sein, et se déchargent ainsi de cette tâche sur d'autres femmes. En milieu urbain, ce sont principalement les femmes d'artisans et de commerçants qui placent leurs enfants afin de pouvoir continuer à aider leur mari. En règle générale, les nourrissons sont placés à la campagne, afin d'être soustraits de l'air fétide et vicié qui sévit dans les villes.

Généralisée au xviie siècle à l'ensemble des couches sociales, la pratique de la mise en nourrice produit une réaction en chaîne : les femmes des campagnes qui reçoivent des enfants des villes placent à leur tour, et au moindre coût, leurs propres enfants. Or, dans ces campagnes, règne à l'époque une extrême misère qui, conjuguée à des conditions d'hygiène déplorables, fait des ravages parmi les nourrissons (des taux de mortalité allant de 30 à 40 % y sont fréquents) et rend la mise en nourrice particulièrement funeste.

On peut se demander pourquoi cette pratique que l'on savait dangereuse pour la survie des enfants s'est développée de la sorte, au point d'être entrée pleinement dans les mœurs. Outre le désir d'imitation des classes privilégiées déjà cité, on doit mentionner l'avis des médecins et moralistes de l'époque, qui, sans

1. E. Badinter, *L'amour en plus,* Flammarion, 1980.

aucun fondement scientifique, s'accordaient pour proscrire toute relation sexuelle non seulement pendant la grossesse, mais également pendant l'allaitement, « le sperme gâtant le lait ». Il y avait donc, selon eux, incompatibilité entre les relations sexuelles de l'épouse et l'allaitement de la mère. Soit le père défaisait le tabou et mettait la vie du nourrisson en danger, soit il s'abstenait et le risque était grand qu'il aille se consoler dans l'adultère, l'homme étant incapable de se contenir plus de quelques jours, pensait-on. Cette alternative n'étant aucunement acceptable pour l'Eglise, la mise en nourrice constituait donc une solution « commode », qui avait pleinement l'aval des autorités religieuses. J.-L. Flandrin[1] cite le *Dictionnaire des cas de conscience,* publié au XVIIIᵉ siècle par Fromageau : « La femme doit, si elle peut, mettre son enfant en nourrice, afin de pourvoir à l'infirmité de son mari en lui rendant le devoir, de peur qu'il ne tombe en quelque péché contraire à la pureté conjugale. »

Est-ce à dire que l'Eglise n'était pas consciente des dangers encourus ? Certains théologiens fustigeaient l'attitude des femmes qui ne nourrissaient pas leur enfant, mais ce n'était pour eux qu'un péché véniel. En tout état de cause, l'Eglise n'hésitait pas à recommander aux femmes de faire passer le devoir conjugal avant leurs obligations maternelles, pour éviter tout risque d'adultère, et donc de péché mortel.

L'absence de sentiments maternels, ou plus généralement l'indifférence à l'égard des enfants, renforcées par cette pratique de la mise en nourrice qu'Elisabeth Badinter va jusqu'à comparer à un « infanticide déguisé », est donc une caractéristique majeure de la société de l'Ancien Régime. Au XVIIᵉ siècle, des voix s'étaient déjà élevées contre la mise en nourrice, mais ce n'est qu'à partir de la deuxième moitié du XVIIIᵉ siècle qu'une prise de conscience s'opère parmi

---

1. J.-L. Flandrin, *Familles,* Le Seuil, 1984.

les classes privilégiées, en raison des ravages que produisaient les épidémies parmi les nourrissons placés. Les mères sont, dans ces conditions, contraintes de garder leurs enfants et de les allaiter elles-mêmes pour éviter de les confier à des nourrices infectées. La tendance s'inverse alors et l'allaitement maternel reprend peu à peu le dessus, et gagne progressivement les différentes couches de la société.

L'allaitement maternel est un indicateur très révélateur de la révolution maternelle en cours tout au long du XVIIIe siècle. Il n'est pas le seul : la limitation des naissances par la pratique du mariage tardif, les progrès réalisés en matière d'hygiène et de soins sont également la manifestation des changements dans les comportements parentaux, et de la place grandissante que prend l'enfant dans la société française. L'abandon progressif de la pratique de la mise en nourrice, remplacée par l'allaitement maternel, produit alors un changement d'attitude envers le nouveau-né : le contact charnel lie la mère à l'enfant. On se soucie alors de son bien-être, le bébé devient peu à peu une personne à part entière, le sentiment maternel peut alors se développer. Les manifestations d'amour de la mère envers son enfant se multiplient : l'enfant est caressé, on veille à sa propreté, le carcan de l'emmaillotage ligotant le nourrisson se desserre, toutes ces nouvelles pratiques concourent à tisser des liens entre la mère et l'enfant. La mère est au centre de nouvelles relations affectives et éducatives. Elle est considérée comme responsable de la santé physique et morale de ses enfants et joue, par là même, un rôle prépondérant au sein de la vie familiale qui se circonscrit de plus en plus dans la relation parents-enfants.

La famille qui émerge au XVIIIe siècle est une « famille moderne », en ce sens qu'elle accorde la priorité à la socialisation d'enfants devenus irremplaçables et dont la mort est vécue comme un véritable drame familial. Vers la fin de l'Ancien Régime, l'aristocratie ou la bourgeoisie ont vis-à-vis de la mort de l'enfant une attitude tout à fait comparable à celle prévalant de nos jours :

> « Je fus frappé comme d'un coup de foudre. (...) Je ne sais comment je pus survivre, et il m'est impossible de peindre l'état dans lequel nous nous trouvâmes. Pendant les premiers jours, je ne quittai point ma femme, ni le funeste lieu où j'avais perdu mon enfant. (...) Dieu adoucit nos peines, mais nous ne nous consolâmes jamais »,

écrit, en 1776, Jacob-Nicolas Moreau, bibliothécaire de la reine Marie-Antoinette, à la mort de sa fille. Ce regard nouveau porté sur l'enfance par l'aristocratie et la bourgeoisie tranche singulièrement avec la vision populaire et notamment paysanne qui prévaut encore au XIXe siècle, en France, tout particulièrement à l'égard des petites filles, comme l'illustrent ces deux anecdotes[1] :

> Interrogez tel paysan sur sa famille, il vous répondra :
> « Je n'ai pas d'enfants, monsieur, je n'ai que des filles ! »
> Le fermier breton, dont la femme met au monde une fille dit encore :
> « Ma femme a fait une fausse couche ! »

Ainsi, la douleur provoquée par le décès d'un enfant se définit comme un sentiment variable selon le milieu social de la famille et le sexe de l'enfant.

3. Nouveaux rôles parentaux et nouvelle vie de couple.
— A partir du XVIIIe siècle, les nouveaux sentiments envers l'enfant, partagés par les deux parents, rapprochent considérablement ces derniers, qui deviennent dès lors plus intimes. Les solidarités de voisinage qui prévalaient jusqu'alors tendent à s'effacer devant les liens qui unissent les parents à leurs enfants et les

---

1. Anecdotes tirées de E. Legouvé, *Histoire morale des femmes,* 1849. Cité par A. Armengaud, L'attitude de la société à l'égard de l'enfant au XIXe, *Annales de démographie historique,* « Enfants et sociétés », 1973, p. 310-311.

époux entre eux. La cellule familiale prend ses distances, même à l'égard des autres parents et de la domesticité. La société est ainsi progressivement écartée de la sphère de la vie familiale qui devient celle de la vie privée, de la « maison » *(home)*. Cette évolution vers l'intimité était matériellement difficile à mettre en œuvre, car elle supposait une organisation de la maison *(house)* répondant à ce souci, c'est-à-dire concrètement, l'existence de pièces indépendantes. Elle a donc longtemps été limitée à une minorité de la population, et ce n'est qu'au cours du xixe siècle que ce modèle familial se propagea peu à peu aux couches moins favorisées de la société. La révolution industrielle avec pour corollaire la séparation entre le lieu de travail et le lieu de la vie familiale mais aussi les progrès réalisés en matière d'hygiène vont en effet contribuer activement à la diffusion sociale de ce nouveau modèle conjugal.

II. — De l'éducation morale à l'instruction publique des filles

Dès lors que l'enfant devient le centre de la vie quotidienne, la famille se doit d'assurer sa promotion, c'est-à-dire l'éduquer. Le modèle d'une éducation conçue dans une relation de maître à serviteur ne peut plus préparer à la vie, car les familles ne sont plus disposées à se séparer de leurs enfants. Elles prennent conscience de la nécessité d'une période de préparation à la vie, que seule l'école peut assurer. Comme le note P. Ariès[1],

« on admet désormais que l'enfant n'est plus mûr pour la vie, qu'il faut le soumettre à un régime spécial, à une quarantaine, avant de le laisser rejoindre les adultes (...). La famille cesse d'être seulement une institution de droit privé pour la transmission des biens et du nom, elle assume une fonction morale et spirituelle, elle forme les corps et les âmes ».

1. P. Ariès, *op. cit.,* p. 313.

Dès le XVIIIe siècle, la morale de l'époque impose à l'aristocratie et à la bourgeoisie d'éduquer tous les enfants et non pas simplement l'aîné. « Ce sont les mœurs, et non le Code civil ni la Révolution, qui ont supprimé le droit d'aînesse », écrit encore P. Ariès. Dans ce contexte, la question de l'éducation des filles, présente en filigrane depuis le XVIe siècle, se pose avec acuité.

1. **Un sexe à éduquer.** — Jusqu'au XVIe siècle, comme nous l'avons vu, le placement chez un maître tenait le plus souvent lieu d'éducation. Rares étaient ceux qui se préoccupaient de former les futures générations, qu'elles soient de l'un ou l'autre sexe. Avec l'apparition de la Réforme religieuse, les choses changent : l'aspect moral de la religion tend à l'emporter sur son caractère sacré, l'importance de l'éducation est reconnue par les principaux penseurs de la Réforme protestante. Ainsi, pour Luther et Calvin, il faut sans cesse se référer aux Ecritures, tout soumettre à leur jugement. Qui lit la Bible est renvoyé au Christ, il faut donc que chacun soit en mesure de la lire. Organiser l'enseignement est alors essentiel, afin de préparer hommes et femmes à cette éducation religieuse. La Réforme protestante est donc en Europe du Nord, mais également en France, synonyme d'alphabétisation des filles, même si le savoir auquel elles ont accès est strictement délimité par le modèle patriarcal prôné par cette même Réforme. La réaction catholique ne tardera pas, en fixant comme priorité d'enseigner aux fidèles la doctrine de l'Eglise. Cet effort d'enseignement se fait en direction des adultes, par la multiplication des prédicateurs envoyés dans les campagnes, mais également en direction des enfants, par l'intermédiaire de la catéchèse. Afin qu'ils puissent suivre l'enseignement religieux, gage de leur foi future, les enfants sont initiés aux rudiments de la lecture, par le déchiffrement des textes religieux. Réforme protestante et Contre-Réforme catholique ont donc joué un rôle

décisif dans l'essor de scolarisation des filles sous l'Ancien Régime.

L'éducation des petites filles, leur alphabétisation, constitue, de ce point de vue, une arme au service de la religion. M. Sonnet souligne à quel point « au tournant des XVIe et XVIIe siècles une nouvelle vague d'initiatives (de l'Eglise catholique) prend forme, vouées, celles-ci, spécifiquement à l'enseignement féminin. Les réformateurs catholiques comprennent alors quel rôle clef la petite fille peut jouer dans un processus de reconquête religieuse et morale de la société dans son ensemble »[1]. Il s'agit très clairement de former les futures mères afin qu'elles transmettent la bonne parole aux générations futures. Elles doivent donc être capables de lire le catéchisme. Cet enseignement est dispensé dans le cadre de couvents où les demoiselles de la bonne société sont pensionnaires, ou bien pour les moins fortunées, dans le cadre d'écoles charitables. Le contenu de l'enseignement est des plus rudimentaires : instruction religieuse, lecture, parfois quelques éléments d'écriture, et travaux de couture. Il n'est pas bon que les femmes en sachent trop. Les activités manuelles, et tout particulièrement les travaux d'aiguilles, rappellent aux jeunes filles leur futur rôle d'épouse et de mère et leur désignent, avant l'heure, le foyer domestique comme lieu principal d'activité. Cependant, comme le notent C. et E. Lelièvre[2], la différence principale entre la scolarisation des filles et des garçons réside dans sa durée — beaucoup plus courte pour elles que pour eux —, ce qui n'est pas sans conséquence sur la nature des apprentissages reçus.

Deux siècles après le Concile de Trente (1545-1563), les congrégations religieuses vouées à l'enseignement se sont multipliées, mais les femmes sont toujours aussi

1. M. Sonnet, Une fille à éduquer, dans G. Duby, M. Perrot, *Histoire des femmes en Occident,* t. 3, Paris, Plon, 1991, p. 113.
2. C. Lelièvre, F. Lelièvre, *Histoire de la scolarisation des filles,* Paris, Nathan, 1991, p. 15.

ignorantes. Elles n'ont accès qu'à un minimum de connaissances fortement imprégnées de religion. Seules quelques rares jeunes filles de l'aristocratie font exception, car elles bénéficient d'une éducation familiale libérale, leur permettant d'accéder à un savoir profane. Ce sont ces rares femmes privilégiées, qui, devenues adultes, tiendront salon, dès la moitié du xviie siècle, avec le mouvement des Précieuses (1650-1660). Le salon littéraire, situé aux confins de l'espace public et de l'espace privé, est à la fois un lieu et un mode d'expression. Lieu pédagogique, il forme les femmes de l'aristocratie et par extension, celles de la bourgeoisie. Mixte, il leur permet de sortir d'une situation de mise à l'écart.

Molière[1], en ridiculisant les Précieuses, ne fait qu'emboîter le pas à ses contemporains qui ne veulent voir que les travers du mouvement, avec la perversion de la langue et l'affectation des manières, en refusant d'en mesurer réellement la portée. Ce mouvement des

---

1. L'œuvre de Molière est caractéristique du débat sur l'éducation des femmes au xviie siècle. Dans *L'Ecole des femmes* (1662), le personnage d'Arnolphe, bourgeois quadragénaire, incarne l'esprit des misogynes de l'époque, pour lesquels la femme est naturellement faible d'esprit, sotte, née pour obéir à l'homme. Elle risque à tout moment de céder à l'adultère, si elle n'est pas surveillée de près par son mari. L'éducation des femmes leur inspire peur et mépris, elle est subversive. Molière, dans cette pièce, fait preuve d'un esprit plutôt féministe, en prenant parti pour l'éducation des filles, et en soulignant les dangers qu'il y a à maintenir de force une femme dans l'ignorance.

Dans *Les Précieuses ridicules* (1659) et dans *Les Femmes savantes* (1672), Molière, à treize ans d'intervalle, épingle les femmes de la haute bourgeoisie qui s'émancipent intellectuellement. Il ridiculise les travers de celles qui récusent à jamais le mariage et se complaisent outrancièrement dans des futilités de mœurs et les excès de langage. L'image des Précieuses que donne Molière est sans doute une caricature. Elle ne saurait résumer l'intention de ce mouvement de l'élite féminine de l'époque qui revendiquait le droit de s'instruire comme les hommes.

En fait, Molière manifeste une philosophie assez « conformiste », en accord avec les idées de son temps, une morale « du juste milieu » : en effet, bien que critiquant la conception traditionnelle et autoritaire du mariage, il prône une éducation des femmes par la douceur, c'est-à-dire dans le respect de la division sexuelle des rôles, les jeunes filles n'ayant d'autre destin possible que celui d'épouse et de mère.

Précieuses correspond en fait à une évolution des esprits et des mœurs, et illustre un phénomène social et moral autant que littéraire et linguistique. Il postule le développement de l'instruction des femmes, suscite le goût des belles lettres, mais plus généralement encourage leur accès aux connaissances. Quelques cercles précieux n'hésitent pas à remettre en question le statut de la femme, les fondements du mariage et de la famille et même à revendiquer le droit au mariage à l'essai, au divorce et à l'espacement des maternités. C'est dire l'importance d'un mouvement surtout connu pour ses excès de langage et les caricatures qu'en a fait Molière, ridiculisant les femmes qui en fait cherchaient à s'émanciper et à s'instruire.

Au-delà des Précieuses, le Salon perdure et se développe tout au long du XVIIIe siècle, au point de devenir le centre de la vie intellectuelle : l'Europe des Lumières sera « une « internationale des salons ». Grâce aux salons, les femmes accèdent au monde des idées, aux discussions philosophiques. Leurs écrits ne sont toutefois pas à la hauteur de leurs ambitions, car il ne leur est permis d'écrire que des traités de dévotion ou des manuels sur l'éducation des filles. Toute tentative d'écriture dans des domaines autres que ceux précités y est très mal perçue, à tel point que celles qui s'y risquent prennent la précaution de publier sous des pseudonymes, afin de ne pas être reconnues et déconsidérées. C'est au fond l'acte d'écrire qui est en soi réprouvé, le contenu, c'est-à-dire les idées de celles qui osent braver l'interdit moral, restant le plus souvent très conformistes. Dans les écrits féminins du XVIIIe siècle, toute remise en cause de leur statut dans la société est exclue. Ecrire devient dans ces conditions, « l'acte libérateur », selon l'expression de C. Dulong[1].

---

1. C. Dulong, De la conversation à la création, dans G. Duby, M. Perrot, *op. cit.*, t. 3.

2. Les femmes dans l'ombre des « Lumières ». — Le XVIIIᵉ siècle est celui des Lumières, ou si l'on préfère, celui des philosophes. La philosophie est omniprésente, en ce sens qu'elle traduit une volonté nouvelle d'élucider la réalité humaine sous tous ses aspects. L'idéologie des Lumières abolit toute distinction de rang entre les hommes, qui sont définis par leur appartenance à l'humanité. Tout être humain doué de raison est par définition un être libre. Mais ce concept d'égalité universelle, du fait même de sa généralité, reste une abstraction, non ancrée dans le réel. Ainsi, les femmes, qui constituent la moitié du genre humain, sont reconnues comme telles par les Lumières : elles sont donc des êtres doués de raison, et, théoriquement, des êtres libres. Mais quel décalage entre la théorie générale, abstraite, et la réalité des discours sur les femmes ! Jugeons plutôt :

Jean-Jacques Rousseau publie en 1762 *L'Emile ou De l'éducation,* composé de cinq livres dont un seul consacré à *Sophie.* En substance, le rôle de Sophie doit se limiter au bonheur d'Emile :

> « Toute l'éducation des femmes doit être relative aux hommes. Leur plaire, leur être utiles, se faire aimer et honorer d'eux, les élever jeunes, les soigner grands, les conseiller, les consoler, leur rendre la vie agréable et douce : voilà les devoirs des femmes dans tous les temps, et ce qu'on doit leur apprendre dès leur enfance. »

En somme, la femme est assignée à la fonction domestique, telle est l'identité sociale que Rousseau, figure progressiste à bien des égards, entend lui reconnaître. Le conservatisme masculin n'est d'ailleurs pas en manque de voix ou de plumes pour rappeler, souvent sans ambages, la place que doivent occuper les femmes dans la société. « Une femme est une fille, une sœur, une épouse et une mère, un simple appendice de la race humaine... », telle est la définition que donne Steele[1],

1. Cité par O. Hufton, La famille et le travail, dans G. Duby, M. Perrot, *op. cit.,* t. 3, p. 27.

essayiste anglais du XVIIIᵉ siècle. Cette définition, loin de choquer ses contemporains, reflète en définitive assez fidèlement l'opinion dominante : la femme n'a d'existence que dans son rapport à l'homme.

L'article « Femme » de l'*Encyclopédie* de d'Alembert et Diderot comporte trois contributions révélatrices de l'état d'esprit de l'époque. Dans le premier texte, la femme est décrite comme « la femelle de l'homme », dans le second, comme la possession du mari, et dans le troisième, elle est définie par l'art de plaire ou d'aimer. Bien sûr, la question de la compatibilité de ces approches avec le principe de l'égalité est posée, mais elle est résolue le plus souvent par des pirouettes, comme le souligne M. Crampe-Casnabet[1]. Ainsi, l'abbé Mallet, auteur du premier texte, pense résoudre la contradiction en l'énonçant :

> « Les divers préjugés sur le rapport d'excellence de l'homme à la femme ont été produits par les coutumes des anciens peuples, les systèmes de politique et les religions qui les ont modifiés à leur tour. J'en excepte la religion chrétienne qui a établi... une supériorité réelle dans l'homme, en conservant néanmoins à la femme les droits de l'égalité. »

Ou bien encore, De Jaucourt, auteur du second texte, constate que

> « le principe de l'égalité des droits fondé en nature est violé par l'affirmation de la supériorité d'un des sexes dans le mariage, lequel repose sur un contrat, donc sur un accord réciproque ».

De Jaucourt est conscient du fait que le mariage n'est pas toujours établi en tenant compte de l'avis de la femme, mais, en l'acceptant, elle accepte la soumission.

Le débat de l'époque porte ainsi sur le fait de savoir si la femme est un être rationnel. En théorie ou en droit, oui ! Mais l'égalité intellectuelle des sexes ne va guère au-delà de la déclaration de principe. L'opinion masculine, même « éclairée », est quasi unanime. Le

1. M. Crampe-Casnabet, Saisie dans les œuvres philosophiques, dans G. Duby, M. Perrot, *op. cit.,* t. 3, p. 334.

privilège de la femme est la beauté, celle-ci étant éphémère, et la raison étant si lente à se constituer, la femme ne peut donc à la fois posséder beauté et raison. Raisonnement abscons s'il en est, mais qui n'a pas rebuté un esprit aussi éclairé que Montesquieu, philosophe pourtant parmi les plus convaincus de la nécessité d'une égalité entre les sexes. C'est ce même Montesquieu qui dénonce avec force, dans *L'Esprit des lois,* liv. VII, les inégalités dont sont victimes les femmes. Cette ambivalence parmi les philosophes éclairés montre toute la difficulté d'appliquer l'idée abstraite d'égalité sur le terrain plus concret des relations entre hommes et femmes.

Le siècle des Lumières, en général peu favorable aux femmes, n'a sans doute pas concrétisé sur le plan philosophique, le principe d'égalité entre sexes, fondé sur l'éducation. Ce principe d'égalité avait déjà été posé par un certain nombre de précurseurs, un siècle auparavant. Parmi eux, Poullain de La Barre avait publié en 1673 et 1674, c'est-à-dire bien avant « les Lumières », *De l'égalité des sexes* et *De l'éducation des dames.* Le principe général qui nourrissait ces deux ouvrages est que tout est affaire d'éducation : si les femmes reçoivent la même éducation que les hommes, elles auront les mêmes aptitudes qu'eux. Cette idée était si en avance sur son temps qu'elle ne suscita guère de réactions. Il faut attendre presque un siècle pour qu'Helvétius explore la même direction dans son ouvrage *De l'esprit* (1758). L'inégalité constatée entre hommes et femmes ne tire aucunement sa source, selon lui, d'une différence de nature, comme le pense une majorité de ses contemporains, mais de la mauvaise qualité de l'éducation reçue par les femmes. Helvétius prône alors le libre accès des femmes à l'éducation, sans aucune restriction de contenu, sur la base de l'égalité formelle entre hommes et femmes. Son livre est aussitôt condamné par la Sorbonne et brûlé en public.

Comme le souligne M. Sonnet[1],

« le rendez-vous manqué de l'éducation des filles et des Lumières
se répète avec la Révolution française. Seul le philosophe
Condorcet, parmi les personnages les plus illustres de cette
période révolutionnaire, est allé le plus loin, en cette fin du
XVIIIe siècle dans la défense de l'égalité des hommes et des
femmes, et concrètement dans la défense d'une instruction des
femmes identique à celle des hommes ».

Le marquis de Condorcet critique la Déclaration des
droits de l'homme, parce que la femme n'y trouve pas
sa place. Il dénonce « les lois oppressives que les
hommes ont faites contre elles ». Il milite pour que les
femmes accèdent au suffrage universel. Et il prône une
instruction publique, laïque et gratuite, commune aux
hommes et aux femmes, afin de combattre l'ignorance
qui fait le lit de la tyrannie. Vaste projet novateur, qui
mettra près de deux siècles à se réaliser. L'opinion
dominante « éclairée » du XVIIIe siècle prône une instruction des filles, non pas pour leur avantage personnel mais dans l'intérêt de leurs futurs enfants.

Dans le principe, cette éducation devrait être ancrée
au sein de la famille, sans recourir à une institution
extérieure. Dans la pratique, ce modèle n'est réaliste
que pour une minorité privilégiée, ce qui amènera par
la suite à substituer aux familles un système d'éducation institutionnalisé.

3. **Un modèle d'enseignement laïc au féminin.** — Au
début du XIXe siècle, seule une organisation aussi puis-
sante que l'Eglise de l'Ancien Régime aurait pu structu-
rer cet enseignement. Or, après la Révolution, l'Eglise
est ruinée et aucune institution capable de mener à bien
cette tâche n'existe. Les grands principes de la Révolution et de Condorcet apparaissent, au mieux, comme
une anticipation. Au cours des premières décennies du

1. M. Sonnet, *L'éducation des filles au temps des Lumières,* Paris, Les
Editions du Cerf, 1987, p. 287.

XIXe siècle, devant l'impuissance et le manque de moyens de l'Etat, l'Eglise retrouve la plupart de ses prérogatives, en matière d'enseignement. Certes, « Napoléon ne voulait pas d'une école qui aurait pris à Rome et non à Paris ses directives »[1], mais il encourage les initiatives privées, c'est-à-dire religieuses.

La question de l'enseignement secondaire féminin se trouve tout d'abord posée au sein des classes dirigeantes de la bourgeoisie. La nécessité de cet enseignement apparaît dès lors que l'on veut qu'il y ait une « union des âmes », tous sexes confondus. Il faut donc que les femmes de la bourgeoisie soient cultivées, mais que cette culture soit désintéressée, car il n'est pas question qu'elles exercent une profession. Il s'agit, comme le rappelle A. Prost[2], qu' « hommes et femmes parlent un langage commun. Par là, l'enseignement féminin apparaît comme un moyen de lutter contre la superstition, le mysticisme et l'influence cléricale ».

La première réalisation émane de Victor Duruy, libre penseur, qui crée, en 1867, les cours secondaires publics pour jeunes filles. Cette action traduit le souci volontariste, exprimé publiquement par Jules Simon, philosophe et futur ministre de l'Instruction publique, de combler le fossé qui sépare l'instruction des filles et des garçons :

« Les filles, même dans les pensionnats les plus élevés, reçoivent une éducation futile, incomplète, toute d'arts d'agréments. Nous voulons faire des femmes les compagnes intellectuelles de leur mari, et il n'est personne qui puisse nier que l'instruction qu'on leur donne aujourd'hui ne les prépare à ce rôle » (Discours au corps législatif en 1867).

Cette création de cours secondaires publics pour jeunes filles, dans le prolongement de la loi Falloux de 1850 (faisant obligation aux communes de plus de 800 habitants d'ouvrir et d'entretenir une école de

1. A. Prost, *Histoire de l'enseignement en France,* A. Colin, 1968, p. 158.
2. A. Prost, *op. cit.,* p. 262.

filles), ne va pas manquer de susciter une vive opposition de l'Eglise, qui voit dans cette mesure une atteinte à son monopole de fait. Bien que novatrice, cette création est toutefois d'une portée très limitée, puisqu'il ne s'agit pas, faute de crédits, de créer des établissements d'enseignement secondaire, mais plutôt d'organiser des cours payants, dans des locaux le plus souvent prêtés par les municipalités. Mal structurée, cette entreprise ne put se pérenniser. Elle eut cependant pour mérite d'ouvrir la voie à un enseignement de jeunes filles dégagé de l'influence de l'Eglise.

C'est en effet quelques années plus tard que, fait unique en Europe, prend corps un enseignement secondaire de jeunes filles totalement laïque et dépendant de l'Etat. La loi Camille Sée du 21 décembre 1880, qui donne naissance à ce dispositif éducatif, prévoit notamment la création d'externats pour jeunes filles, ainsi que — par décret du 14 janvier 1882 — une organisation des enseignements où, fait nouveau, les jeunes filles accèdent à une plus large instruction. Seule l'étude du latin et du grec leur fait désormais défaut. Le français et la littérature constituent dès lors l'assise de cet enseignement de jeunes filles, ouvert par ailleurs sur l'histoire, la géographie, les sciences naturelles et des notions de mathématiques.

Cet enseignement secondaire nouveau va sans conteste devenir un véhicule important du changement dans la condition féminine, tout particulièrement dans les classes moyennes. L'objectif de cette loi est d'arracher les filles à l'Eglise sans pour autant les détourner du foyer. Il résume en cela toute l'ambiguïté qui consiste, en cette fin du XIXᵉ siècle, à élever le niveau d'instruction des filles tout en les maintenant sous la dépendance de leur mari. Objectif éducatif — et ambiguïté morale —, que Camille Sée énonce publiquement : « *Virgines futuras virorum matres republica docet !* »; autrement dit : « La République instruit les vierges, futures mères des hommes. »

Repères historiques dans l'évolution de la scolarisation des filles.

MONARCHIE DE JUILLET

1835 :   Arrêté imposant de séparer les garçons et les filles à l'école, et complété l'année suivante par un autre arrêté qui impose une cloison entre garçons et filles lorsqu'ils sont admis dans le même local.

1836 :   Ordonnance qui étend aux filles certaines règles en vigueur pour les garçons :
- même distinction des deux degrés d'enseignement primaire (élémentaire et supérieur);
- mêmes matières obligatoirement enseignées (exceptés le chant, le dessin devenus obligatoires pour les filles, ainsi que les travaux d'aiguilles);
- même classement des écoles de filles en privées et publiques.

1838 :   Création de l'Ecole normale d'institutrices (l'école normale d'instituteurs existant déjà).

IIe REPUBLIQUE

1850 :   Loi Falloux qui fait obligation aux communes de plus de 800 habitants d'ouvrir et d'entretenir une école de filles.

SECOND EMPIRE : NAPOLEON III

1861 :   Première femme admise à passer le baccalauréat.

1867 :   Création par Victor Duruy de cours secondaires publics destinés aux filles.

IIIe REPUBLIQUE

1879 :   Loi Paul Bert rendant obligatoire l'entretien par chaque département d'une école normale de filles.

1880 :   Loi Camille Sée qui institue un enseignement secondaire féminin d'Etat.

1882 :   Loi Jules Ferry rendant l'enseignement primaire obligatoire, public et laïc, ouvert aux filles comme aux garçons.

1924 :   Décret qui institue des horaires, et des programmes d'études identiques dans le secondaire, pour les garçons et les filles, entraînant une équivalence formelle entre les baccalauréats masculin et féminin.

1925 :   Création de l'Ecole Polytechnique féminine.

Ve REPUBLIQUE

1963 :   Décret qui institue la mixité comme régime normal des Collèges d'Enseignement Secondaire (CES).

1975 :   Loi Haby créant le Collège unique, assure l'obligation de mixité dans l'enseignement primaire et secondaire. "Tout enseignement et toute spécialité professionnelle d'un lycée, sous réserve des dispositions du Code du travail, sont accessibles aux élèves des deux sexes".

A la veille de la première guerre mondiale, les établissements d'enseignement secondaire accueillent près de 33 000 jeunes filles qui étudient les mêmes matières que leurs homologues masculins. Elles sont alors prêtes à se lancer dans le monde du travail. Cependant, malgré les nombreux progrès enregistrés de l'Ancien Régime à la IVe République, l'éducation se conjugue toujours sur le mode de la séparation des sexes et des savoirs. La scolarisation des filles reste « qualitativement et quantitativement inférieure » à celle des garçons. Ce n'est en définitive qu'à l'avènement de la Ve République que l'école des femmes sort réellement de l'isolement, avec le développement des établissements scolaires et la généralisation de la mixité.

III. — Le travail des femmes au XIXe siècle : une question de visibilité

1. La fin du travail familial? — Jusqu'au XIXe siècle, la France est profondément paysanne, les emplois de l'agriculture occupent deux actifs sur trois. L'agriculture, comme mode productif dominant, réunit de façon étroite famille et travail sous l'autorité patriarcale. Sous le même toit, sont réunies plusieurs générations qui, toutes, travaillent pour la ferme. Pour les femmes, la confusion des tâches, qu'elles soient ménagères ou agricoles, est totale, le contrat de mariage tenant lieu de contrat de travail. La frontière entre les deux activités est d'autant plus ténue que l'exploitation est modeste, l'autosubsistance étant alors la norme.

Dans l'agriculture, le travail au sein du cadre familial apparaît ainsi comme la caractéristique dominante. Il ne confère aux femmes aucune identité sociale susceptible d'être reconnue en dehors de la sphère familiale. « Seul le chef de famille a un statut ; sa femme, elle, est simplement mère, épouse et aide. »[1] Le travail des femmes est par conséquent un travail invisible, c'est-à-dire non reconnu statutairement et non comptabilisé, officiellement considéré comme un « non-travail ».

La travailleuse existait longtemps avant l'avènement de la révolution industrielle. Les femmes travaillaient, mais elles accomplissaient souvent leurs tâches comme élément du groupe familial et, à ce titre, ne recevaient pas de salaire séparé, individualisé. C'est par la révolution industrielle que la femme au travail va acquérir, au cours du XIXᵉ siècle, une visibilité qu'elle n'avait pas auparavant[2]. Deux facteurs convergents vont transformer de façon décisive les relations des femmes au travail : l'entrée dans le salariat et le travail à l'extérieur de la famille. L'industrialisation correspond à un mouvement de salarisation. Parmi les ouvriers, la famille de type conjugal devient dominante. C'est une famille où la femme travaille à l'extérieur du domicile et reçoit un salaire d'appoint. Le travail des femmes s'individualise sous la forme d'un emploi salarié, c'est-à-dire que, de façon inédite, le travail des femmes existe et est rémunéré en tant que tel.

2. La résistance masculine à l'accession des femmes au travail salarié. — Sous l'effet du décollage industriel (dès 1830), les femmes prennent, jusqu'à la fin du XIXᵉ siècle, une part de plus en plus importante dans une population active en rapide expansion. La reconnaissance sociale de ce changement majeur ne se fait pourtant pas sans heurts. Le travail salarié des femmes pose en effet problème. Essentiellement, parce qu'on se demande si le fait qu'une femme gagne de l'argent est compatible avec son statut dans la société, c'est-à-dire concrètement avec son rôle d'épouse et de mère. Avec

1. A. Barthez, Femmes dans l'agriculture et travail familial, *Sociologie du travail*, n° 3, 1984, p. 255.
2. J.-W. Scott, L. Tilly, *Les femmes, le travail et la famille*, Rivages, 1987.

le développement du travail salarié, le lieu de production est nécessairement déplacé, hors du giron familial, vers l'usine, ce qui, pensait-on, était incompatible avec un équilibre familial. D'où les oppositions que suscite le travail féminin, même si, comme le démontrent J.-W. Scott et L. Tilly, leur fondement fut largement idéologique. L'industrie et le travail en usine n'ont jamais été, au cours du XIXᵉ siècle, les plus grands employeurs de main-d'œuvre féminine. Les femmes restent encore largement cantonnées dans les secteurs traditionnels de la domesticité, ou bien occupent des emplois de cols blancs en net essor.

Dès la deuxième moitié du XIXᵉ siècle, l'exode rural s'amorce véritablement. Hommes et femmes des campagnes sont de plus en plus nombreux à venir travailler dans l'industrie. Le développement du travail des femmes dans les usines textiles est emblématique de la naissance du prolétariat moderne. Cette évolution va modifier radicalement leurs conditions de travail sans affecter pour autant leur place dans la famille. La femme continue comme auparavant à assumer les tâches domestiques et professionnelles, mais en deux lieux désormais séparés : la maison et l'atelier.

L'entrée des femmes dans le salariat ne doit pas être comprise comme une amélioration spectaculaire de leur position sociale. Bien au contraire. Leur situation sociale est particulièrement difficile tout au long de ce XIXᵉ siècle. Une des idées consensuelles les plus tenaces diffusée par la société masculine est que le salaire d'un homme devait suffire à assurer son existence, ainsi que celle de sa famille. De ce fait, celui de la femme n'est au mieux qu'un salaire d'appoint. La conséquence la plus immédiate est que les femmes sont cantonnées dans des travaux spécifiques, synonymes de bas salaires, soi-disant en raison de leur inaptitude à être concurrentielles avec les hommes. Toute extension d'activité des femmes reste très mal vue des travailleurs masculins qui craignent un alignement de leurs propres salaires sur ceux des femmes, dès lors qu'elles sont introduites dans l'usine.

La résistance masculine est telle que les syndicats refusent l'adhésion des femmes, à moins qu'elles ne perçoivent le même salaire que les hommes. C'est en quelque sorte la quadrature du cercle! Une des revendications centrales des syndicats au XIXᵉ siècle est celle d'un salaire familial, pour la femme au foyer qui représente en quelque sorte « l'idéal de respectabilité des classes laborieuses »[1]. L'opinion prédominante dans les couches populaires admet en effet que la femme ne peut contribuer aux dépenses du foyer que tant qu'elle est célibataire, c'est-à-dire vivant sous le même toit que ses parents. Ainsi, dans les esprits, le travail féminin n'est pas admis à durer, même si dans la pratique il en va souvent tout autrement.

Les pratiques des employeurs participent de cette définition restrictive. Ainsi, certains emplois réservés aux femmes sont assortis de conditions d'âge et de statut matrimonial (le célibat est fréquemment exigé). Le travail dans l'industrie n'accorde qu'une faible importance aux savoir-faire des femmes et une reconnaissance limitée en matière de rémunération. Quant au secteur public, à l'instar de l'administration des Postes, il procède en créant des emplois féminins de bureaux, à très bas salaires et sans aucune possibilité d'avancement; ce qui a pour effet de produire un rapide renouvellement (ou *turnover*) de la main-d'œuvre féminine. Cette ségrégation sexuelle organisée sur le marché du travail servira incontestablement de prétexte à la majorité des hommes pour légitimer le principe d'une division « naturelle » de la main-d'œuvre entre hommes et femmes.

Au XIXᵉ siècle, un contrat de travail est censé être une affaire relevant exclusivement du droit privé, un accord librement consenti entre deux parties. Au nom de cette

1. J.-W. Scott, La travailleuse, dans G. Duby, M. Perrot, *op. cit.*, t. 4, p. 438.

liberté de contracter, le législateur se refuse d'intervenir dans ce qu'il considère être une affaire de droit privé. Avec l'apparition des femmes sur le marché du travail salarié, cette situation évolue. N'étant toujours pas considérées comme citoyennes à part entière, le législateur leur doit, à ce titre, protection. Travailler pour un salaire s'accompagne, pour elles, de conditions de travail réglementées, qui font l'objet d'une législation croissante. Dans la dernière partie du XIXe siècle, devant les campagnes de presse qui se développent pour dénoncer les conditions de travail des femmes et des enfants dans les usines insalubres, un certain nombre de mesures législatives sont prises pour les protéger des travaux industriels les plus pénibles : en 1874, femmes et enfants sont exclus du travail des mines. En 1892, une loi leur interdit tout travail dangereux ou insalubre, de même que le travail de nuit. Cette même loi limite à onze le nombre d'heures de travail par jour.

L'ensemble de cette réglementation de cette fin du XIXe siècle, positive sur le plan du droit de la personne, a pour conséquence d'accroître la ségrégation entre hommes et femmes sur le marché du travail, en écartant les femmes de nombreux emplois qualifiés, et en favorisant l'embauche des hommes, non soumis à ces restrictions.

« Jamais le législateur ne parle d'exclure les femmes du monde du travail, mais au nom de la protection de la famille on aménage un temps de travail spécifique qui oriente la main-d'œuvre féminine dans de véritables ghettos, très peu surveillés. En dépit des critiques, cette législation est demeurée célèbre, car elle rompt avec le principe de non-ingérence de l'Etat dans les conventions privées. »[1]

Ce n'est qu'au XXe siècle, que la législation sur le travail des femmes enregistrera les avancées les plus significatives. La loi de 1908, instituant une égalité de

1. N. Arnaud-Duc, Les contradictions du droit, dans G. Duby, M. Perrot, t. 4, op. cit., p. 97.

Repères historiques dans l'évolution du travail des femmes.

IIIe REPUBLIQUE

1874 :	Interdiction du travail féminin dans les mines et les carrières. Interdiction du travail de nuit pour les femmes non majeures.
1892 :	Extension de l'interdiction du travail de nuit aux femmes de tous âges. Limitation à 10 heures de leur temps de travail quotidien. Obligation d'une journée de repos hebdomadaire.
1900 :	Les femmes ont le droit de plaider comme avocates.
1908 :	Egalité de salaires pour les instituteurs et les institutrices.
1909 :	Loi instituant un congé de maternité (sans traitement) de huit semaines sans rupture du contrat de travail.
1910 :	Création d'une section féminine au sein du syndicat des employés C.G.T. Loi autorisant les femmes à prendre un congé de maternité de huit semaines avec traitement dans les P.T.T.
1920 :	Les femmes peuvent adhérer à un syndicat sans l'autorisation de leur mari.
1927 :	Egalité de salaires pour les employés des deux sexes des P.T.T., de la Caisse des Dépôts et Consignations et pour les professeurs du secondaire.
1928 :	Le congé de maternité de huit semaines, avec traitement est étendu à toute la fonction publique.

GOUVERNEMENT DE VICHY

1940 :	Décret-loi de Vichy rendant très restrictif l'accès des femmes à l'emploi public.

LIBERATION

1945 :	Suppression de la notion de salaire féminin, remplacée dans les textes par le principe : "à travail égal, salaire égal".

Ve REPUBLIQUE

1965 :	Les femmes ont le droit de travailler malgré l'opposition du mari.
1972 :	Loi consacrant l'égalité de rémunération entre hommes et femmes pour les travaux de valeur égale.
1975 :	Loi sanctionnant les discriminations fondées sur le sexe, en particulier en matière d'embauche, et garantissant l'accès à l'emploi des femmes enceintes (ainsi que des sanctions en cas de discrimination).
1977 :	Création du "congé parental d'éducation" pour les femmes (dans des entreprises de plus de 200 salariés).
1979 :	L'interdiction du travail de nuit dans l'industrie est supprimée pour les femmes occupant des postes de direction ou des postes techniques à responsabilités.
1980 :	Loi interdisant de licencier une femme en état de grossesse.
1982 :	Les femmes d'artisans ou de commerçants travaillant avec leur mari obtiennent le statut de conjoint collaborateur.
1983 :	Loi Roudy sur l'égalité professionnelle entre hommes et femmes, interdiction toute discrimination de sexe dans l'emploi.
1987 :	Loi abolissant les restrictions à l'exercice du travail de nuit des femmes, sous certaines conditions.

salaire entre instituteurs et institutrices, inaugure une série de conquêtes qui permettront de combler en partie le retard séculaire des femmes en matière de droit au travail.

IV. — Femme, de quels droits ?

L'identité des femmes n'a évolué que lentement au cours des deux derniers siècles. Chaque étape de ce processus a fait l'objet de polémiques et de conflits. Les législations sur les droits des femmes qui ont vu le jour ont le plus souvent été précédées par des débats passionnés et de puissants mouvements revendicatifs.

1. L'accès à la citoyenneté. — La Révolution française pose le principe de l'égalité de tous. Toutefois, elle ne l'applique pas : les femmes n'ont pas accès au droit de vote. Seul Condorcet est assez visionnaire à l'époque pour adhérer à cette mesure. Néanmoins, en affirmant l'égalité de tous, la Révolution porte le ferment de l'émancipation des femmes, même si la bourgeoise du XIXe siècle est plus enfermée dans la sphère familiale que ne l'était l'aristocrate des Lumières. L'Anglais Burke, farouche opposant à la Révolution, ne s'y est pas trompé : il n'a pas de mots assez durs pour fustiger ce qu'il appelle « la sale équité ». La Révolution a donc permis de poser la question de l'égalité entre hommes et femmes, sans aller pour autant au bout de sa démarche. Elle reconnaît cependant à la femme la personnalité civile, ce que lui déniait l'Ancien Régime.

A la fin du XIXe siècle, aucune femme du monde occidental n'a encore acquis les libertés civiles. Partout, le droit de vote lui est refusé. En France, les premières revendications naissent pendant la Révolution de 1848, avec l'établissement du suffrage universel, réservé aux hommes. Tout au long du XIXe siècle, l'accession des femmes au droit de vote est repoussée, sous les motifs les plus contradictoires. Les conservateurs, misogynes et hostiles à la participation des femmes à la vie publique, écartent catégoriquement cette éventualité. Les républicains redoutent, de leur côté, que les femmes, sous l'influence de l'Eglise, ne grossissent, par leurs voix, les rangs conservateurs, et fassent ainsi chanceler la République. En 1913, les féministes semblent en mesure de pouvoir l'emporter, quand la première guerre mondiale éclate, différant ainsi toute tentative de réforme. Au lendemain de la guerre, les députés sont à l'initiative d'une proposition de loi en faveur du droit de vote des femmes, mais celle-ci est rejetée par le Sénat, dominé par les conservateurs. Au cours des années vingt et trente, de nouvelles initiatives parlementaires auront lieu, qui, toutes, se heurteront au blocage du Sénat. La défaite de 1940, l'instauration du régime de Vichy et la suppression par celui-ci de tout système représentatif démocratique sont autant de facteurs qui, paradoxalement, vont bientôt permettre aux femmes d'apparaître sur la scène publique. En effet, le rôle qu'elles ont joué dans la Résistance, les bouleversements sociaux consécutifs à la Libération, les réactions contre le régime de Vichy et sa misogynie sont à l'origine de l'ordonnance du 21 avril 1944 du Conseil national de la Résistance, signée par le général de Gaulle, qui donne enfin aux femmes le droit de vote et le droit d'être élues.

2. **La libéralisation du statut des femmes.** — La conquête des libertés politiques est inséparable de la lutte pour l'émancipation des femmes dans la famille. Dans ce domaine, les acquis révolutionnaires sont ambigus : en théorie, la femme est reconnue en tant qu'individu, mais elle demeure sous l'autorité de son mari. Les lois révolutionnaires de septembre 1792 sur l'état civil et le divorce traitent sur un même pied d'égalité les deux époux. Le mariage devient un contrat civil entre deux parties librement consentantes et également responsables. La femme, tout comme

l'homme, est à même de vérifier si le contrat est correctement exécuté. Si tel n'est pas le cas, il convient de dénoncer le contrat, sans même devoir s'expliquer devant un tribunal, pour autant qu'il y ait « accord sur le désaccord ». Tant d'audace ne durera pas. Bien vite, la loi sur le divorce sera abrogée, en invoquant la menace de déstabilisation pour la famille, et un retour à des vues plus conventionnelles s'imposera. Il n'empêche, comme le fait remarquer E. Sledziewski[1], que « les antiféministes du XIXᵉ n'auront pas tort de souligner que la Révolution, en déstabilisant le mariage et l'ordre domestique, a ouvert la boîte de Pandore des revendications politiques des femmes. La Révolution a donné de mauvaises habitudes aux femmes ».

Mais c'est incontestablement le Code civil napoléonien de 1804 qui a eu les conséquences les plus négatives sur l'évolution du statut de la femme. Considéré, à l'époque, comme un modèle, imité dans de nombreux pays, il s'est pérennisé, à bien des égards, jusqu'à nos jours. En fait, ce Code civil reflète à l'origine la misogynie de son initiateur, Napoléon Bonaparte, pour lequel « la femme est donnée à l'homme pour avoir des enfants ; elle est sa propriété, comme l'arbre à fruits est la propriété du jardinier »[2]. Par l'article 213, précisant que « le mari doit protection à sa femme, la femme obéissance à son mari », le Code civil a confiné les femmes, tout au long du XIXᵉ siècle, dans un statut de mineure à vie. Certaines mesures perdureront au-delà, c'est ainsi que jusqu'à la veille de la seconde guerre mondiale, dans la plupart des pays européens, la femme devra demander l'autorisation de son mari pour exercer une profession (1965, précisément, dans le cas de la France). N. Arnaud-Duc[3] cite pêle-mêle les nombreuses obliga-

1. E. Sledziewski, Révolution française, le tournant, dans G. Duby, M. Perrot, *op. cit.,* t. 4, p. 47.
2. Cité dans D. Noguerol, *Discriminations sexuelles et droits européens,* Masson, 1993, p. 14.
3. H. Arnaud-Duc, *op. cit.,* p. 109.

tions de l'épouse découlant de l'application du Code civil : elle ne peut, sans cette autorisation, se présenter à un examen, s'inscrire dans une université, ouvrir un compte en banque, faire établir un passeport, passer un permis de conduire, se faire soigner dans un établissement. Elle ne peut non plus agir en justice... Cet inventaire n'est pas limitatif.

La femme au XIXe siècle est entièrement définie par son rôle familial : elle est épouse et mère. La famille est au fondement de l'ordre social, et la femme en est le pivot. Le législateur est donc particulièrement vigilant et veille à ce que la femme reste soumise à son mari. La femme ne peut se soustraire à ses devoirs conjugaux, le viol entre mari et femme n'étant pas reconnu. L'infidélité de la femme est sévèrement réprimée par le législateur car elle est susceptible de porter atteinte à l'ordre public, en modifiant les partages successoraux, par l'introduction d'un étranger dans la famille. La condamnation de l'homme adultère n'intervient, elle, que lorsque ce dernier entretient sa maîtresse au domicile conjugal, c'est-à-dire pratiquement dans les cas de bigamie.

La première guerre mondiale va donner — provisoirement — l'occasion aux femmes de sortir de ce carcan familial. Nombre d'entre elles, séparées de leur mari, doivent se débrouiller seules pour gérer l'exploitation ou l'entreprise familiale. Certaines usines, devant la pénurie de main-d'œuvre, font appel au travail féminin. Cette brèche va rapidement se refermer car, au lendemain des quatre années de conflit, face au désastre économique et démographique, le mot d'ordre est de repeupler la France. Dans ce contexte, l'exaltation du rôle d'épouse et de mère est plus que jamais d'actualité. Toute publicité relative aux moyens anticonceptionnels est interdite et assimilée à de la propagande (loi du 3 juillet 1920). Le *coïtus interruptus* reste la méthode contraceptive la plus usitée, avec le développement des méthodes dites naturelles des Drs Ogino et Knaus. Le préservatif reste, quant à lui, autorisé pour prévenir la dissémination des maladies vénériennes, mais ne peut en aucun cas faire l'objet de publicité (jusqu'en 1991). L'avortement, crime passible de la cour d'assises, soumis au verdict d'un jury populaire, devient, par la loi du 23 mars 1923, un délit réprimé à la discrétion de magistrats professionnels, supposés moins enclins à acquitter ou à accorder les circonstances atténuantes aux femmes reconnues coupables de telles pratiques. De fait, si l'on suit A.-M. Sohn[1], avant l'application de cette loi, les jurys populaires acquittaient 80% des inculpées. Ce chiffre tombe à 19% entre 1925 et 1935. Malgré ces mesures répressives et populationnistes, la natalité tombera à son niveau le plus bas au cours des années trente.

Pendant cette même période, les discours hygiénistes triomphent et la surveillance médicale des nourrissons s'impose progressivement à toutes les couches de la société. La mère est toute désignée pour endosser seule la responsabilité du bien-être et de la santé de l'enfant. Dans ces conditions, il lui est moralement difficile d'exercer une profession, sauf à apparaître comme une mauvaise mère. C'est donc le modèle de la femme au foyer qui domine dans l'entre-deux-guerres, et ce, malgré l'apparition de « la garçonne » des « années folles », modèle de femme libérée, aux robes et cheveux courts, qui vit pour elle-même, tout comme un homme, et qui, de ce fait, n'est plus tout à fait une femme, selon l'idéologie dominante de l'époque.

L'établissement du régime de Vichy, à la suite de la capitulation de 1940, ne fera que renforcer ce modèle, au point d'idéaliser pour les femmes la maternité et le foyer. Le modèle familial n'est plus seulement un modèle dominant, c'est bien plus la France dans son ensemble qui est devenue une grande famille. Dans

---

1. A.-M. Sohn, Entre deux guerres : les rôles féminins en France et en Angleterre, dans G. Duby, M. Perrot, *op. cit.,* t. 5, p. 107.

cette vision, le père en est le maréchal Pétain, il a la charge de guider les Français, ses enfants, et de les remettre dans le droit chemin, après les errements qui ont mené à la défaite et la décadence. La famille est alors l'institution sur laquelle s'appuie le régime, et qui prime sur les intérêts de ses membres, tout comme la patrie, expression de l'intérêt général, prime sur les intérêts particuliers. La répartition des rôles est très clairement exprimée, le père est le détenteur de l'autorité, il s'exprime dans le travail, la mère est la gardienne du foyer, elle est le dépositaire de l'amour. Les femmes ne peuvent alors s'accomplir que dans la maternité, seule destinée socialement possible pour elles :

> « Par l'accomplissement consenti et actif de leur destin de mères, Vichy propose aux femmes de retrouver les vertus de la vraie féminité, la seule capable de concilier bonheur personnel et utilité sociale, la seule conforme aux valeurs de la Révolution nationale et à l'œuvre de régénération qu'elle entreprend. Devenue mère, la femme accède au panthéon des modèles sociaux vichyssois, à l'égal du paysan et de l'artisan, gardienne comme eux d'une tradition faite d'abnégation, de patience quotidienne, d'amour du travail bien fait. »[1]

C'est d'ailleurs sous le régime de Vichy que la Fête des Mères, appelée « Journée des Mères », prend toute sa reconnaissance sociale. Dans ce contexte, tout ce qui éloigne les femmes de la maternité est réprimé, car « immoral, contre nature et fatal à la patrie ». L'avortement est un acte qualifié de « nuisible au peuple français ». La loi du 15 février 1942 réprime très fortement ceux qui aident les femmes à avorter. C'est ainsi qu'une femme reconnue coupable d'avoir pratiqué un avortement est guillotinée, pour l'exemple, en juillet 1943. De même, le divorce, dont la procédure s'était assouplie au cours des années trente, est rendu plus difficilement accessible par le

---

1. H. Eck, Les Françaises sous Vichy : femmes du désastre, citoyennes par le désastre?, dans G. Duby, M. Perrot, op. cit., t. 5, p. 189.

gouvernement de Vichy. Par l'ensemble de ces mesures, le gouvernement de Pétain tente d'effacer la frontière entre l'ordre public et la moralité privée.

En 1946, le préambule de la Constitution pose le principe de l'égalité des droits entre hommes et femmes dans tous les domaines. Mais au-delà de la déclaration d'intention, ce ne sera qu'à partir des années soixante, avec l'avènement de la Ve République, qu'interviendront les principales mesures conduisant à de réels progrès dans l'émancipation de la femme, au premier rang desquelles il faut citer la loi Neuwirth de 1967, autorisant la contraception, celle de 1970, substituant la notion d'autorité parentale à celle d'autorité paternelle, la loi Weil de 1975, autorisant l'interruption volontaire de grossesse, ou encore, toujours en 1975, celle instituant le divorce par consentement mutuel.

L'ensemble de ces mesures ont été prises dans un laps de temps relativement court, à l'échelle de l'histoire. Elles témoignent d'un processus de libéralisation récent du statut des femmes, c'est-à-dire de leur émancipation par rapport aux tâches domestiques dans lesquelles elles ont été confinées pendant des siècles. Ces mesures n'ont en fait été rendues possibles qu'à partir du moment où les femmes sont devenues majeures sur le plan civique, « éclairées » sur le plan de l'instruction et plus visibles sur le marché du travail, c'est-à-dire plus autonomes par rapport aux formes familiales d'activité. Elles ont pu ainsi prendre une certaine distance vis-à-vis des rôles conjugaux et maternels qui ont longtemps entièrement prédéfini leur identité sociale. La libéralisation des femmes n'est cependant pas totale, et suit, là encore, l'échelle des positions sociales.

Le xviiie siècle a incontestablement été le siècle des droits de l'homme, c'est-à-dire de façon restrictive des droits du genre masculin. Il faudra attendre le xxe siècle pour que les revendications des femmes se transforment en acquis. Les droits octroyés aux femmes au cours de ces dernières décennies ont en fait été arrachés de haute lutte. A l'instar des mouvements ouvriers (Front populaire) ou étudiants (Mouvement de Mai 68), les revendications des femmes comptent parmi les mouvements sociaux qui ont marqué ou secoué la société française contemporaine. Leurs luttes pour la libération de leur corps (pour le droit à la contraception et à l'avortement), pour leur droit au travail (pour l'égalité des salaires et des conditions de travail, contre les discriminations à l'embauche), etc., émanent le plus souvent de femmes issues de la bourgeoisie ou des élites intellectuelles, politiques ou syndicales. Ces actions sont généralement rassemblées sous le terme unificateur de mouvement (au singulier) des femmes ou encore de « mouvement féministe »[1]. Cette dernière étiquette n'est certainement pas neutre et reflète probablement les sentiments et les intérêts contradictoires qui ont opposé les deux sexes. Le terme féministe traduit sans doute le caractère organisé et catégoriel de ce mouvement des femmes, son volontarisme identitaire. Mais nul doute également, que cet adjectif (et son suffixe « iste ») ne traduise le caractère jugé « agressif » et excessif de ses revendications, par les hommes — mais aussi par certaines femmes —, c'est-à-dire la méfiance et la réprobation morale d'une grande partie de la société masculine qui l'a vu naître et conquérir de nouvelles libertés.

1. Les mouvements féministes ainsi nommés sont déjà repérables au XIXe siècle. L'adjectif « féministe » date de 1872. Le substantif « féminisme » définissant (selon le dictionnaire *Petit Robert*) la doctrine qui préconise l'extension des droits, du rôle de la femme dans la société » date, quant à lui, de 1837.
Parmi les différentes actions des femmes qui ont défrayé la chronique des années soixante-dix, on citera pour mémoire le « Manifeste des 343 » publié par *Le Nouvel Observateur* en 1971, où des femmes parfois très connues du monde politique et de la société civile (écrivains, enseignantes, journalistes, avocates...) prirent position en faveur de l'avortement libre, ainsi que le procès de Bobigny en 1972.

Repères historiques dans l'évolution des droits civils des femmes.

PERIODE REVOLUTIONNAIRE

1791 : La Constitution de 1791 laïcise le mariage et libère juridiquement la femme du poids de l'Eglise.

1792 : Loi sur le divorce qui reconnaît l'égalité des époux et le droit de divorcer par consentement mutuel. Mais ce mode de séparation, étant jugé mettre l'institution de la famille en péril, sera très rapidement abrogé. Il ne réapparaîtra qu'en 1975.

PERIODE NAPOLEONIENNE

1804 : Le Code Civil consacre l'incapacité juridique totale de la femme mariée. L'article 213 énonce : "Le mari doit protection à sa femme, la femme doit obéissance à son mari." La femme est alors considérée comme une mineure, sous la dépendance de son mari.

1810 : La femme adultère est passible de prison, l'homme adultère d'une amende.

IIIe REPUBLIQUE

1897 : La femme a la possibilité de témoigner dans les actes d'état-civil ou notariés.

1907 : Les femmes mariées ont la possibilité de disposer librement de leur salaire.

1938 : Loi supprimant l'incapacité civile relative à la personne pour la femme mariée.

GOUVERNEMENT DE VICHY

1942 : L'avortement qui était un délit devient un crime contre la sûreté de l'Etat (Vichy), les femmes qui interrompent leur grossesse sont sévèrement réprimées et la personne qui réalise l'avortement passible de la peine de mort.

LIBERATION

1944 : Ordonnance du Conseil National de la Résistance du 21 avril signée par le général de Gaulle donnant aux femmes le droit de vote et d'être élues.

IVe REPUBLIQUE

1946 : Le principe de l'égalité des droits entre hommes et femmes dans tous les domaines est pour la première fois posé dans le préambule de la Constitution.

Ve REPUBLIQUE

1965 : Réforme des régimes matrimoniaux destinée à accroître les pouvoirs des femmes mariées sur les biens communs. Le mari ne peut plus s'opposer à l'exercice de l'activité professionnelle de sa femme.

1967 : Loi Neuwirth autorisant la contraception.

1970 : L'autorité parentale se substitue à l'autorité paternelle : les deux époux assurent ensemble la direction morale et matérielle de la famille.

1975 : Loi Weil (provisoire) qui autorise l'interruption volontaire de grossesse. Instauration du divorce par consentement mutuel.

1979 : Loi définitive sur l'interruption de grossesse.

1982 : Remboursement par la Sécurité Sociale de l'interruption volontaire de grossesse.

1984 : Congé parental ouvert à chacun des parents salariés sans distinction de sexe.

1985 : Loi renforçant l'égalité des époux dans la gestion des biens de la famille. Possibilité d'ajouter au nom de l'enfant le nom de l'autre parent (en général celui de la mère).

1991 : Loi autorisant, sous certaines conditions, la publicité pour les contraceptifs.

Chapitre II

L'ÉCOLE DES FEMMES

L'école constitue sans doute le domaine où l'émancipation des femmes a été la plus spectaculaire. Au cours du xxᵉ siècle, elles ont massivement accédé à l'instruction publique, au point de devenir statistiquement dominantes au sein du système éducatif. Comme nous l'avons vu dans le chapitre I, les deux siècles précédents avaient préalablement posé la question de la légitimité de l'éducation des femmes. Le xviiiᵉ siècle avait témoigné — tout au moins sur le plan des idées philosophiques, et non sans débats — de la nécessité morale de l'accès des femmes à l'instruction. Le xixᵉ siècle avait, pour sa part, jeté — non sans remous et difficultés — les bases législatives qui favoriseront ultérieurement cet accès. On dira que le xxᵉ siècle marque l'épreuve des faits. Il signifie à la fois le rattrapage par les femmes de leur retard séculaire en matière d'instruction, leur avancée en matière de réussite scolaire, mais aussi, revers de cette émancipation, la rencontre de nouvelles inégalités, notamment en matière d'orientation.

I. — La féminisation de l'école au XXᵉ siècle

Historiens et sociologues identifient le xxᵉ siècle comme le siècle de la diffusion de la scolarité à l'ensemble des couches sociales. Réservé jusqu'alors à la jeunesse bourgeoise, l'accès aux études va connaître une réelle extension. A partir des années cinquante, on

peut même utiliser le terme d' « explosion scolaire »,
tant il est vrai que la scolarisation devient un « phénomène de masse ». L'accroissement de la demande
d'éducation est d'abord visible à travers l'augmentation spectaculaire des effectifs du secondaire et de l'enseignement supérieur[1]. Il l'est également à travers le
meilleur niveau scolaire d'ensemble atteint par les nouvelles générations d'élèves : un jeune sur deux issu
d'une même classe d'âge est bachelier en 1990, contre
un sur dix en 1960, soit cinq fois plus. Voilà qui atteste
les profonds changements qui ont modifié le paysage
éducatif français[2].

1. **La démocratisation en question.** — La prolongation de la scolarité constitue sans doute la composante
la plus remarquable des transformations de la jeunesse. Elle résulte d'une forte demande d'éducation de
la part des familles, mais également d'une plus grande
exigence de diplôme, pour pallier les difficultés crois-
santes d'entrée sur le marché du travail. Ceci explique
que les statuts de lycéen ou d'étudiant s'imposent de
plus en plus comme les termes de référence de la jeunesse, en lieu et place des termes d'apprentis ou de
jeunes travailleurs. Selon J.-C. Chamboredon, « le statut d'étudiant fait loi et tend à s'imposer comme forme
première, voire unique, de la jeunesse »[3].

L'ampleur de ce phénomène ne peut s'expliquer par

1. Les effectifs du secondaire passent, au cours de la décennie 1950-
1960, de 1 million à plus de 3 millions. L'enseignement supérieur va complètement changer d'échelle, en l'espace d'une génération : entre 1960 et
1990, son effectif passe de 200 000 à plus de 1 700 000.

2. L'article 3 de la loi d'orientation de 1989 stipule que « la nation se
fixe comme objectif de conduire d'ici dix ans l'ensemble d'une classe d'âge
au minimum au niveau du certificat d'aptitude professionnelle ou du brevet d'études et 80 % au niveau du baccalauréat ». Le taux d'accès au
niveau du baccalauréat est aujourd'hui de 63 %. (Source : INSEE, *Données
sociales 1993*, p. 150.)

3. J.-C. Chamboredon, Classes scolaires, classes d'âge, classes sociales : les fonctions de scansion temporelle du système de formation,
Enquête. Cahiers du CERCOM, n° 6, 1991, p. 126.

de simples mouvements démographiques : la croissance des effectifs scolarisés est en effet nettement plus rapide que celle des effectifs des classes d'âge correspondantes. Elle ne résulte pas non plus, comme le montre la progression des effectifs de l'enseignement supérieur, de l'allongement à 16 ans de la scolarité obligatoire. La scolarisation se poursuit bien au-delà de 16 ans, à telle enseigne qu'aujourd'hui plus d'un jeune sur deux, âgé de 18 à 21 ans, est scolarisé[1]. On peut alors se demander si elle n'est pas la conséquence d'un mouvement de démocratisation[2] qui aurait gagné le système éducatif. Un certain nombre d'enquêtes répondent à cette question, en montrant, statistiques à l'appui, que l'origine sociale n'a cessé de conditionner fortement la poursuite des études. En fait, les inégalités de classes se perpétuent au sein d'un système d'enseignement en apparence plus ouvert ou plus accueillant. Le taux d'accès des élèves en classe de seconde illustre parfaitement ce contraste social : il est de 85,5% chez les enfants de cadres supérieurs ou professions libérales, contre seulement 26,4% chez les enfants d'ouvriers non qualifiés[3].

L'essor de la scolarisation ne signifie donc pas la fin des inégalités sociales face à l'enseignement. Il correspond plutôt à un mouvement de féminisation du public scolaire, longtemps resté méconnu. Cette féminisation est un tournant majeur dans l'histoire contemporaine, et peut être interprété comme un « rattrapage » scolaire par les filles. En 1940, on comptait en effet deux fois moins de filles scolarisées dans le secondaire que de garçons. En 1971, le fossé est définitivement comblé, les filles « obtiennent l'égalité des chances », selon l'expression de R. Establet[4]. Autre

---

1. *Insee Première,* « De l'école à l'emploi : les 16-25 ans en mars 1991 », n° 189, avril 1992.
2. A. Prost, *L'enseignement s'est-il démocratisé ?,* PUF, 1986.
3. Source : INSEE, *Données sociales, 1993,* p. 89.
4. R. Establet, *L'école est-elle rentable ?,* Paris, PUF, 1987.

ment dit, elles deviennent aussi nombreuses que les garçons à « accomplir pleinement une scolarité secondaire », par l'obtention du baccalauréat. Elles ont, depuis, distancé les garçons. Les statistiques du début des années quatre-vingt-dix montrent que la majorité des bacheliers sont des bachelières (55 %) et, plus largement, que les filles ont atteint un taux de scolarisation supérieur à celui des garçons, y compris aux âges les plus avancés, au point que l'on puisse conclure qu'elles ont une « carrière scolaire » plus longue que celle des garçons.

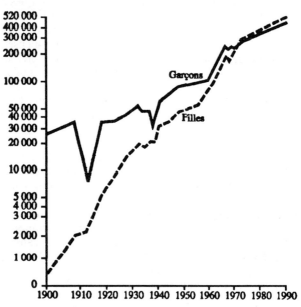

Source : INSEE, Champ : étudiants français seulement.
C. Baudelot, R. Establet, *Allez les filles!*, Paris, Seuil, 1992, p. 12.

Fig. 1. — Etudiants : les filles dépassent les garçons. Evolution des effectifs étudiants depuis 1900.

L'enseignement supérieur est, de ce point de vue, le témoin privilégié de la plus grande présence des filles dans l'école. L'évolution spectaculaire de ses effectifs le rappelle. C. Baudelot et R. Establet ne s'y trompent pas, quand ils choisissent de souligner la formidable évolution du nombre des étudiantes, pour tirer argument que le xxᵉ siècle est le grand siècle de l'instruction des femmes[1]. Quasi inexistantes en 1900, les étudiantes sont majoritaires dès 1975.

En l'espace de trente ans, l'enseignement supérieur a complètement changé d'échelle, les effectifs étudiants atteignant 1 700 000[2], au début des années quatre-vingt-dix. Comme pour le secondaire, c'est la féminisation de l'Université qui a largement contribué à leur essor, bien plus que la réduction des inégalités sociales face à l'enseignement.

La forte progression des filles, tant dans le secondaire que dans le supérieur, ne constitue cependant pas un progrès indépendant des autres logiques sociales à l'œuvre dans le système éducatif. Si l'on suit R. Establet, on peut constater que « le déploiement des scolarités féminines s'est effectué dans l'ordre des inégalités établies »[3]. En d'autres termes, les scolarités des filles des milieux populaires ressemblent plus à celles des garçons issus des mêmes milieux qu'aux scolarités des filles des milieux privilégiés. La féminisation de l'enseignement est d'abord passée par les couches supérieures. Son extension aux couches populaires n'a été que progressive et limitée. L'accès de plus en plus massif des filles à l'école reproduit les inégalités de représentation des différentes classes sociales dans l'école. L'Université et plus largement le système éducatif se seraient donc plus féminisés que démocratisés.

1. C. Baudelot, R. Establet, *Allez les filles!*, Paris, Seuil, 1992, p. 9.
2. Source : INSEE, *Données sociales, 1993,* Ce chiffre comprend l'Université, les Instituts universitaires de technologie (IUT), les Sections de techniciens supérieurs (STS) et les grandes écoles.
3. R. Establet, *op. cit.*

2. **La mixité de l'enseignement.** — Cet allongement de la scolarité, conséquence de la « libéralisation de l'accès à l'école », a donc principalement profité aux filles. On ne peut s'empêcher de mettre en parallèle le net mouvement de scolarisation, amorcé dans les années soixante, avec la généralisation de la mixité des établissements scolaires, au début de la Vᵉ République. Comme le rappellent C. et F. Lelièvre, « jusqu'à la fin des années cinquante, la co-éducation des jeunes filles et des jeunes gens reste marginale. La règle générale est la non-mixité des enseignés (et des enseignants) »[1].

Excepté les écoles maternelles qui sont mixtes depuis leur création, l'histoire de la scolarisation depuis l'Ancien Régime consacre la séparation des écoles de filles et de garçons, sans qu'à aucun moment le principe de la division scolaire entre les sexes ne soit remis en cause. Et les quelques exemples de mixité enregistrés dans la première moitié du xxᵉ siècle apparaissent avant tout comme des solutions contraintes pour faire face à différents problèmes d'organisation matérielle (pénurie de personnels, particulièrement au lendemain de la première guerre mondiale, ou bien pénurie de locaux). Il faut attendre le début des années quatre-vingt « pour que la mixité se voie assigner explicitement une finalité nettement féministe et égalitariste »[2] : la circulaire du 22 juillet 1982 précise l'objectif d' « assurer la pleine égalité des chances » entre les filles et les garçons, par la « *lutte contre les préjugés sexistes* » ; et de « *faire disparaître toute discrimination à l'égard des femmes* ». Les classes étant enfin mixtes, les filles ont alors la possibilité d'accéder aux mêmes filières et diplômes que les garçons, du moins en théorie car, dans la pratique, l'égalité des choix d'orientation reste encore un vœu pieux, comme nous le détaillerons plus loin.

---

1. C. Lelièvre, F. Lelièvre, *Histoire de la scolarisation des filles,* Paris, Nathan, p. 173.
2. C. Lelièvre, F. Lelièvre, *op. cit.,* p. 179.

II. — La réussite scolaire des filles

Quelles conséquences cette féminisation de l'école a-t-elle sur la réussite scolaire? Dans les faits, les performances des filles rivalisent depuis longtemps avec celles des garçons. On devrait même ajouter, pour être plus précis, que leurs scolarités, tant au cours du primaire que du secondaire, sont généralement plus brillantes.

1. L'enseignement primaire : une scolarité féminine plus fluide. — En l'absence de tout examen sanctionnant la scolarité dans l'enseignement primaire, la réussite des garçons et des filles peut être mesurée à l'aune de deux indicateurs : d'une part, les taux de redoublement et, d'autre part, les « évaluations nationales » à l'entrée du cours élémentaire deuxième année (ce2), portant sur les connaissances en français et en mathématiques.

L'enseignement primaire, lieu des apprentissages de base, est une étape décisive, car un redoublement précoce hypothèque gravement les chances d'accéder au lycée. Jugeons en plutôt : 93 % des élèves ayant redoublé le cours préparatoire (cp) n'accèdent pas en seconde (en 1980)[1]. On peut alors comparer le primaire à un parcours d'obstacles qu'il importe de franchir sans encombre, afin de poursuivre sa scolarité dans les meilleures conditions. A ce jeu, les filles sont meilleures que les garçons, puisqu'à l'issue du primaire elles sont plus nombreuses à n'avoir jamais redoublé une classe : 68,9 % d'entre elles sont à l'heure, alors que seulement 62,2 % des garçons sont dans ce cas[2].

Si les parcours scolaires des filles sont dans l'ensemble moins sujets à redoublement, c'est que, fort logiquement, leurs performances scolaires sont meilleures, notamment en français, où elles distancent nettement les garçons.

---

1. INSEE, *Données sociales,* éd. 1984.
2. M. Duthoit, L'enfant et l'école, *Education et formations*, n° 16, 1988.

Tableau 1. — **Proportion de bonnes réponses
en français et en mathématiques
à l'entrée au CE2 en 1991
selon l'origine sociale, l'âge et le sexe** (en %)

	Profession du père			Age			Sexe	
	Cadres et Profes. Intermédiaires	Agriculteurs Artisans/Comm.	Ouvriers Employés	8 ans ou moins	9 ans	10 ans ou plus	G	F
Français	71,5	67,9	61,7	66,8	57,3	54,5	62,6	68,0
Mathématiques	72,6	63,5	61,5	67,0	56,0	56,9	64,7	65,5

Source : INSEE, *Données sociales, 1993*, p. 108.

Il faut cependant signaler que le sexe n'intervient qu'au second rang dans la détermination de la réussite scolaire qui s'explique essentiellement par l'origine sociale et l'âge des élèves. Ces deux dernières variables conjuguent leurs effets, puisqu'on constate que les élèves d'origine sociale modeste sont à la fois plus âgés aux différentes classes d'enseignement et plus faibles dans leurs résultats scolaires.

2. L'enseignement secondaire : une meilleure « survie » féminine. — On retrouve dans l'enseignement secondaire ces différences de réussite entre garçons et filles. C'est ce que révèlent trois grandes enquêtes par panel[1] réalisées depuis les années soixante. La dernière en date (1980) va à l'encontre des idées reçues sur la démocratisation de l'enseignement secondaire. Elle met en évidence l'influence persistante de l'origine sociale : au fur et à mesure que l'on gravit l'échelle sociale, la proportion d'élèves à l'heure augmente. Un tiers des fils d'ouvriers sont présents et à l'heure en classe de terminale, contre les trois quarts des fils de cadres. Mais le sexe n'en reste pas moins une variable discriminante : à catégorie sociale identique, la proportion de filles n'ayant pas

1. Enquêtes réalisées par le ministère de l'Education nationale auprès des élèves entrés en sixième respectivement en 1962, 1973 et en 1980. Elles ont consisté à suivre les élèves depuis leur entrée en sixième jusqu'à leur sortie de l'enseignement secondaire, à quelque niveau qu'elle se situe.

redoublé est toujours supérieure à celle des garçons, l'écart moyen d'environ 10% atteint même 15,6% pour les enfants d'artisans ou de commerçants.

Tableau 2. — **Proportion d'élèves bacheliers ou scolarisés en terminale huit ans après leur entrée en sixième selon le sexe et l'origine sociale (panel 1980)** (en %)

Accès en :	1973			1980		
	Garçons	Filles	Ensemble	Garçons	Filles	Ensemble
Sixième	100	100	100	100	100	100
Quatrième	63	76	70	68	81	75
Seconde	36	48	42	42	52	47
Terminale	28	40	34	41	51	46

Source : Ministère de l'Education nationale, panel d'élèves du second degré, 1980. M. Duru-Bellat, *L'école des filles*, L'Harmattan, 1990, p. 34.

Entre les enquêtes par panel de 1973 et de 1980, les filles tout comme les garçons voient augmenter leurs chances d'accéder en classe de terminale (tableau 3). Au début des années quatre-vingt-dix, les filles conservent sur les garçons un avantage qui se manifeste par un plus fort taux d'obtention du baccalauréat. Mais leur avance s'effrite quelque peu, ce qui montre que celle-ci n'est pas donnée une fois pour toutes. Nul doute que l'accès en terminale, en devenant peu à peu une norme partagée par le plus grand nombre d'élèves, ne permettra plus comme avant de révéler les différences de sexes.

Tableau 3. — **Le maintien en second cycle selon le sexe** (en %)

	Cadres supérieurs	Professions Intermédiaires	Artisans Commerçants	Agriculteurs	Employés	Ouvriers	Ensemble
Filles	85,8	64,5	59,1	50,6	54,0	43,8	56,4
Garçons	75,2	57,7	43,5	43,0	40,3	33,3	46,3
écart	10,6	6,8	15,6	7,6	13,7	10,5	10,1

Source : Ministère de l'Education nationale, panel d'élèves du second degré, 1973 et 1980. J.-P. Terrail, *Destins scolaires de sexe : une perspective historique et quelques arguments*, *Population*, 3, 1992.

3. Les déterminants de la réussite des filles.

— Comment interpréter le fait que les filles parcourent le cursus scolaire d'un pas plus allègre que les garçons? Deux explications de nature différente sont généralement avancées. La première repose sur l'idée que les filles intériorisent plus facilement les normes culturelles prônées par l'école. En d'autres termes, « la définition sociale de la féminité » (...) entrerait « plus facilement en adéquation avec les normes de l'institution »[1]. Elles seraient plus dociles, ce qui, en retour, leur donnerait une meilleure survie dans le système. Cette interprétation s'appuie en définitive, comme le montre J.-P. Terrail[2], sur une conception passive du rôle des filles à l'école. En réalité, la passivité présumée des filles est à mettre sur le compte d'un regard masculin qui reproduit les stéréotypes de sexes.

La seconde explication met en avant les qualités dynamiques des filles à travers leur investissement dans les études. Elle montre que les filles sont plus studieuses que les garçons, qu'elles consacrent plus de temps à leur travail scolaire, et qu'elles n'attendent pas le dernier moment pour faire leurs devoirs[3] ou encore qu'elles lisent davantage[4]. En résumé, elles manifestent un plus grand « esprit de sérieux », et investissent plus dans leurs études que les garçons. Cet investissement a une signification sociale : l'école sert de tremplin aux femmes pour investir le marché du travail.

On doit enfin souligner, pour comprendre la meilleure réussite des filles à l'école, le rôle des parents et du corps enseignant dans la scolarité des élèves. Les redoublements traduisent à ce sujet les différences d'attitude

---

1. G. Felouzis, *Filles et garçons au collège. Comportements, dispositions et réussite scolaire en sixième et cinquième,* thèse de doctorat, Université de Provence, 1990.
2. J.-P. Terrail, *op. cit.,* 1992.
3. J.-P. Terrail, *op. cit.,* 1992.
4. F. de Singly, *Lire à douze ans,* Nathan, 1989.

des adultes selon le sexe des enfants. Si tout au long du primaire, redoubler une classe fait figure d'indicateur d'échec, il n'en va pas aussi nettement de même dans le secondaire, notamment lors des paliers d'orientation (classes de troisième et de seconde). Le redoublement peut alors signifier le refus de l'élève ou de sa famille d'une orientation non désirée. C'est ainsi qu'on observe chez les garçons des redoublements volontaires plus fréquents en classe de seconde, afin de préserver leurs chances de se maintenir dans la « voie royale » en accédant l'année suivante en première scientifique. Sans compter que les conditions dans lesquelles sont décidés les redoublements ne sont pas toujours transparentes :

> « La décision de faire redoubler un élève traduit en effet à la fois un constat (des difficultés actuelles) et un pronostic (d'amélioration possible). Ce dernier va donc incorporer un jugement des maîtres dont on sait qu'il est susceptible d'être modulé par le sexe de l'élève. »[1]

A ce compte-là, les filles bénéficieraient d'une « discrimination positive », essentiellement en raison de leur comportement plus conforme aux attentes et valeurs de l'institution scolaire. La plus grande « mansuétude » des enseignants aurait des effets indéniables sur leur appréciation de la performance scolaire. Le résultat est qu'une fille passera plus aisément dans la classe supérieure, quitte à être orientée dans une filière littéraire ou administrative (bacs A et G), alors qu'un garçon saura mieux garder le cap sur les filières scientifiques, quitte à concéder un redoublement.

Quoi qu'il en soit, la réussite scolaire des filles dans l'enseignement secondaire est indéniable. Leur niveau de formation a rapidement progressé. Alors qu'en 1945, sur une génération, 3,7 % des filles et 4,8 % des garçons devenaient bacheliers, au début des années quatre-vingt-dix, cette proportion est de 53,6 %

1. M. Duru-Bellat, *L'école des filles. Quelle formation pour quels rôles sociaux?*, L'Harmattan, 1990, p. 46.

pour les filles et de 41,7 % pour les garçons[1]. Mais cette réussite — globale — des filles ne peut toutefois occulter les inégalités de sexes qui perdurent dans le système éducatif.

III. — Filières masculines et filières féminines

Sous une unité de façade, que viennent renforcer des expressions comme l'école, le collège unique, ou encore le baccalauréat, toujours utilisées au singulier, le système éducatif est en réalité très stratifié. Les meilleures performances des filles ne peuvent masquer une inégalité d'orientation. Les filles ne font pas les mêmes études que les garçons. La mixité de l'école, le mélange officiel des sexes ne conduisent pas à une réelle égalité des chances d'accès aux différentes filières. Pour elles, cela se traduit, à terme, par l'obtention de diplômes différents, généralement moins valorisés sur le marché du travail.

1. **Un enseignement professionnel cloisonné.** — Les filles, nous l'avons vu, sont majoritaires dans le secondaire général. De même, elles représentent près de la moitié des effectifs de l'enseignement professionnel : 47,5 % en 1988, soit plus de 330 000 élèves[2]. Mais cette parité ne doit pas faire illusion. Il faut en effet s'interroger sur le statut de cet enseignement professionnel, sur ses modalités d'accès, ainsi que sur le caractère sexué de ses filières.

L'enseignement professionnel n'est pas organisé en

1. Source : *Géographie de l'école,* DEP, ministère de l'Education et de la Culture, 1993.
2. 119 000 d'entre elles ont présenté un CAP (certificat d'aptitude professionnelle), 90 000 filles se sont présentées au BEP (brevet d'études professionnelles), et environ 23 000 filles ont présenté un baccalauréat professionnel. Les effectifs cités ne somment évidemment pas à 330 000, puisqu'on ne fait référence qu'aux élèves en mesure de se présenter à l'examen, c'est-à-dire en dernière année de CAP ou de BEP.

un cursus, menant à des niveaux de qualification élevés, sanctionnés par un diplôme, comme c'est le cas en Allemagne[1]. Les différents niveaux qui le composent sont relativement indépendants et cloisonnés. Pour un élève, le BEP ne fait que rarement suite à un CAP. Les différents niveaux de l'enseignement professionnel sont beaucoup plus souvent alimentés par des élèves en situation d'échec dans l'enseignement général. Autrement dit, l'enseignement professionnel est souvent un cul-de-sac où les jeunes ne s'engagent qu'après avoir atteint leurs limites au sein de l'enseignement général : les élèves inscrits en CAP proviennent essentiellement des classes de cinquième, ceux inscrits en BEP des classes de troisième des collèges.

L'enseignement professionnel représente encore largement une orientation « faute de mieux », une voie de

Tableau 4. — **Proportion d'élèves scolarisés dans une classe d'enseignement professionnel court cinq ans après l'entrée dans le secondaire, selon le sexe et l'âge d'entrée en sixième** (en %)

	Garçons			Filles		
Cohorte	1962 1967	1973 1978	1980 1985	1962 1967	1973 1978	1980 1985
Age d'entrée en sixième						
10 ans et moins	2,1	2,6	1,9	2,3	1,7	0,4
11 ans	18,5	18,8	19,6	15,5	15,4	13,2
12 ans	34,6	40,7	50,5	34,5	37,2	49,5
13 ans et plus	13,3	24,1	38,8	14,4	26,4	43,7
Total	22,6	28,5	29,5	21,8	23,2	23,0

Source : INSEE, C. Baudelot, R. Establet, Garçons et filles dans la compétition scolaire, *Données sociales, 1990,* p. 347. Champ : cohortes 1962, 1973 et 1980. Le tableau se lit ainsi : sur 100 garçons entrés en sixième en 1962 à 10 ans ou moins, 2,1 sont cinq ans plus tard scolarisés dans l'enseignement professionnel court.

1. Sur ce point, cf. M. Maurice, F. Sellier, J.-J. Silvestre, *Politique d'éducation et organisation industrielle en France et en Allemagne. Essai d'analyse sociétale,* PUF, 1982.

relégation, puisqu'il est essentiellement alimenté par les élèves qui ont accumulé du retard au cours de leur scolarité générale. Généralement moins retardataires que les garçons, les filles subissent donc moins souvent cette relégation vers l'enseignement professionnel court (CAP, BEP). A l'heure ou en avance à l'entrée en sixième, leur probabilité d'intégrer cet enseignement est faible, voire pratiquement nulle. C'est essentiellement lorsqu'elles sont en situation de retard caractérisé qu'elles prennent cette voie.

L'enseignement professionnel est cloisonné, la ségrégation sexuelle y règne en maître. Les filles investissent les formations préparant à un métier du secteur tertiaire (secrétariat, comptabilité, hôtellerie...), et les garçons accèdent à celles menant à des emplois du secteur secondaire (bâtiment, mécanique, électricité...). Jugeons plutôt : les filles représentent l'essentiel des candidats aux CAP du secteur tertiaire (78,6% en 1988), alors que les garçons composent la quasi-totalité des candidats aux CAP du secteur secondaire (84,9%). Lorsque d'aventure les filles suivent une formation professionnelle du secteur secondaire, loin d'être mêlées aux garçons, elles sont, tout au contraire, confinées dans le textile et l'habillement, formations féminisées pratiquement à 100%.

2. **Le sexe du baccalauréat.** — Les filles sont en proportion plus nombreuses à se présenter et à réussir au baccalauréat, qu'il soit général ou technique. Ce n'est donc pas sur ce plan que les inégalités de sexe se manifestent, mais plus finement dans l'accès aux différentes séries de baccalauréat.

Dans l'enseignement général, il existe des filières de prédilection pour les filles, distinctes de celles des garçons. Les filles constituent l'écrasante majorité des candidats aux baccalauréats littéraires (80% toutes séries A confondues) mais seulement le tiers des candidats au baccalauréat scientifique de la série C, généralement considéré comme le plus prestigieux. Sous couvert d'une mixité officielle, s'opère en fait, tout au long du secondaire, une véritable ségrégation qui pourrait se résumer ainsi : aux filles, les sections littéraires et aux garçons, les sections scientifiques ! Seule une minorité des premières échappe à cette destinée (10,6 % de l'ensemble des filles candidates au baccalauréat se présentent dans la série C, contre 27,2 % des garçons, soit près de trois fois moins). Plus on avance dans les études et plus la présence féminine se fait rare dans les filières à vocation scientifique, telles que les mathématiques (fig. 2).

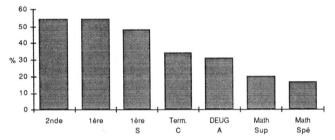

Source : Ministère de l'Education nationale, Société mathématique de France, *Femmes et mathématiques*, 1986-1987. C. Baudelot, R. Establet, *Allez les filles !*, *op. cit.*, p. 118.

Fig. 2. — Proportion de filles dans les filières scientifiques.

Dans l'enseignement technique, les filles se dirigent plutôt vers les baccalauréats tertiaires et les garçons vers les baccalauréats industriels, reproduisant ainsi la même logique de cloisonnement repérée dans l'enseignement professionnel court. La relégation des filles dans les filières tertiaires a pour conséquence de réduire l'étendue de leurs choix professionnels et traduit leur impossibilité d'accéder aux métiers techniques de l'industrie, considérés comme « naturellement » masculins.

Tableau 5. — **Jeunes filles présentées et reçues**
au baccalauréat en 1988

Séries et options	Effectifs des candidates	% de filles chez les candidats	% de filles chez les admis	% total d'admis (filles et garçons)
A1 Lettres Sciences	21371	77,4	73,4	72,4
A2 Lettres Langues	34335	84,5	78,3	78,1
A3 Lettres Arts	3892	72,6	69,1	69,5
Série A : total	59598	80,9	75,9	75,3
B Economique et Social	46613	60,0	69,7	68,2
C Maths et Sc. Physiques	16755	33,6	87,1	83,6
D Maths et Sc. Naturelles	33259	49,4	77,8	74,3
Total Bac Général	157282	56,4	75,6	74,4
Secteur Industriel	4139	10,5	66,3	68,6
Secteur Tertiaire	75096	70,7	67,8	67,2
Total Bac Technique	79235	54,4	67,7	67,5

Source : Ministère de l'Education nationale, *Les femmes*, « Contours et caractères », INSEE, 1991, tableaux 1 et 2, p. 75. Le tableau se lit ainsi : 77,4% des élèves présentés au baccalauréat de la série A1 sont de sexe féminin.

3. Un enseignement supérieur à deux vitesses. — La

caractéristique majeure de l'enseignement supérieur français est d'être bicéphale, avec d'un côté l'Université et de l'autre les grandes écoles. Pendant que l'Université accueillait les nouvelles générations de bacheliers et de bachelières, en multipliant ses effectifs par six entre 1960 et 1990, les grandes écoles ont eu, quant à elles, tout loisir d'exercer un contrôle beaucoup plus strict sur les flux d'entrée : au cours de la même période, les effectifs des écoles d'ingénieurs n'ont fait que doubler, passant de 23 000 à 52 000 élèves. Mais au sein même de ces écoles, « les effectifs (...) ont d'autant moins augmenté que ces écoles occupaient un niveau élevé dans la hiérarchie »[1].

Au sein de l'enseignement supérieur, c'est à l'Université que vont les filles. Celles-ci n'ont qu'un accès très limité aux grandes écoles : elles ne représentent que 6% des effectifs à l'Ecole polytechnique, moins de 2% à l'Ecole des arts et métiers, moins de 10% à l'Ecole centrale. Pourtant, ces dernières années, une poussée féminine s'est manifestée, parfois de façon très

1. L. Boltanski, *Les cadres,* Editions de Minuit, 1982.

significative, dans certaines grandes écoles. C'est ainsi que les filles représentent désormais, en 1988, plus du tiers des élèves d'HEC (Hautes Etudes commerciales) et deviennent, la même année, majoritaires parmi les élèves des classes préparatoires à cette même école. Cette féminisation est toutefois encore loin d'être systématique. Les écoles les plus prestigieuses sont celles où la percée des filles est la moins probante, signe que la féminisation y est encore à ses premières heures. En somme, lorsque les filles intègrent les grandes écoles, elles le font le plus souvent « par la petite porte » : la

Tableau 6. — **Les élèves des grandes écoles.**
Répartition par sexe

Année scolaire 1982-1983	Nombre d'élèves	Dont filles	% de filles
Ecoles d'ingénieurs	39000	6300	16,2
dont : Ponts et Chaussées	402	50	12,4
Arts et Métiers	720	9	1,2
Polytechnique	664	40	6,0
Centrale	1051	103	9,8
Mines	243	24	9,8
Ecoles vétérinaires	2120	630	29,8
Ecoles d'architecture	11730	3580	30,6
Ecoles d'enseignement commercial	10850	4240	39,1
dont : HEC	890	260	29,7
ESSEC	810	250	31,1
Ecoles de sciences administ.	6570	2690	40,8
dont : ENA	450	100	21,2
Ecole de la Magistrature	810	370	45,3
Ecoles Normales supérieures	2760	1110	40,0
dont : Normale Sup Lettres	960	510	53,6
Normale Sup Sciences	800	320	40,0

Source : CNIDF-INSEE, *Femmes en chiffres,* 1986.

hiérarchie sociale et symbolique qui régit ces institutions scolaires recouvre une hiérarchie de sexes.

Quand on sait que le secteur privé recrute ses cadres dirigeants essentiellement à la sortie de ces grandes écoles, on mesure l'ampleur de la tâche qui reste à accomplir aux femmes pour accéder à une véritable égalité professionnelle. Evincées, la plupart du temps, de la course aux postes à autorité et à pouvoir, quasi-monopole des grandes écoles les plus prestigieuses, les jeunes femmes sont obligées de se rabattre sur l'Université et sur son débouché traditionnel : le secteur public.

L'Université constitue-t-elle pour autant un refuge éloigné des pratiques discriminatoires ? Si les filles sont effectivement devenues majoritaires à l'Université, cela s'est produit, pour près de la moitié d'entre elles, au prix d'une relégation dans les disciplines littéraires. Cette relégation se manifeste en fait dès l'enseignement secondaire, à travers l'engagement dans une voie littéraire qui s'appuie en partie sur les « affinités électives » idéologiquement présumées entre qualités féminines et qualités littéraires. Le choix d'orientation des filles à l'entrée des études supérieures est donc en réalité restreint. De plus, toutes choses égales par ailleurs, c'est-à-dire à âge, origine sociale, mention et série de baccalauréat équivalents, garçons et filles ne font pas le même usage de leur diplôme. Les filles titulaires d'un baccalauréat littéraire se dirigent principalement vers les formations littéraires en langues, lettres et sciences humaines, les garçons s'orientant de préférence vers les formations juridiques. De même, les filles titulaires d'un baccalauréat scientifique de série C accèdent plus rarement que les garçons aux grandes écoles et optent plutôt pour des études universitaires d'une durée généralement plus courte.

L'Université peut se définir comme un ensemble hiérarchisé de filières d'enseignement où ségrégation sexuelle et ségrégation sociale conjuguent leurs effets. On peut même se demander si le sexe ne constitue pas la variable principale dans l'orientation des étudiants au sein des différentes disciplines, reléguant ainsi l'origine sociale au rang de variable seconde, à l'inverse de ce que l'on a constaté dans l'enseignement secondaire.

Tout se passe donc comme si, pour devenir majoritaires au sein de l'Université française, les femmes

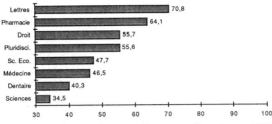

Source : INSEE, *Les femmes,* « Contours et Caractères », 1991.

Fig. 3. — Université : taux de féminisation selon la discipline suivie (en %).

devaient payer comme tribut une relégation dans les filières littéraires. Ce phénomène s'accompagne d'un « piétinement » dans les premiers cycles de l'institution. La présence des filles à l'Université, solidement établie depuis le milieu des années soixante-dix, se heurte en effet à certaines limites : elles ne sont majoritaires qu'au cours des premières années, c'est-à-dire dans le premier cycle d'enseignement. Dans le second et surtout dans le troisième cycle, leur présence est moins affirmée. Situation quelque peu paradoxale, lorsqu'on sait qu'à l'entrée de l'Université les filles sont plus « brillantes » que les garçons : elles sont dans l'ensemble plus jeunes et proportionnellement plus nombreuses à avoir obtenu leur baccalauréat avec mention[1]. La logique méritocratique voudrait donc qu'elles conservent leur avantage. En réalité, on constate qu'à l'issue des études universitaires les filles sont moins diplômées que les garçons. Autrement dit, il semble qu'elles ne parviennent pas à décrocher les diplômes que laisse espérer leur niveau d'excellence à l'entrée à l'Université. Cette situation

---

1. C'est ce que nous avons constaté lors d'une enquête sur les étudiants de l'Université de Nice (cf. A. Frickey, De l'Université à la vie active : quelle insertion, quelle dévalorisation ?, *Enquête. Cahiers du CERCOM,* n° 3, 1986). Les filles étaient 38 % dans ce cas, contre 28 % des garçons.

n'est pourtant pas la conséquence d'une moindre réussite de leur part aux examens universitaires. Elle est sans doute le fruit de leur bifurcation, dès la licence, vers les concours administratifs (tableau 7). Les filières littéraires conduisent moins souvent à préparer un diplôme de troisième cycle (doctorat...). Elles sont principalement orientées vers les concours de la fonction publique qui mènent aux métiers de l'enseignement (IUFM, Capes, Agrégation...), ou du travail social. La réussite aléatoire à ces concours conduit nombre de filles à quitter l'Université après cinq ou six années d'études, avec seulement une licence en poche.

Tableau 7. — **Les étudiants des universités par sexe et par cycle** (en %)

	Capacité	1er cycle	2nd cycle	Concours	3ème cycle	Indéterminé	Total
Hommes	49,7	45,5	50,2	34,6	62,3	51,3	49,5
Femmes	50,3	54,5	49,8	65,4	37,7	48,7	50,5
Total	100,0	100,0	100,0	100,0	100,0	100,0	100,0

Source : SIGES, Ministère de l'Education nationale, *Données sociales, 1984*.

4. Les déterminants de l'orientation des filles. — Les séries littéraires, qui se sont féminisées au fil du temps, sont devenues peu à peu synonymes de restriction de choix. Certes, cette restriction des choix ne découle pas directement de la féminisation des effectifs, elle résulte plutôt de la prééminence qu'ont prise les mathématiques dans la sélection sociale, en lieu et place du latin. Or, cette vieille opposition entre sciences et lettres se trouve redoublée par l'opposition masculin/féminin, en associant étroitement dans l'inconscient collectif qualités littéraires et qualités féminines, esprit mathématique et esprit masculin[1]. La question qui se pose est de savoir pourquoi les filles s'orientent — ou sont orientées —

1. Cf. sur ce point, P. Bourdieu, J.-C. Passeron, *La reproduction*, Editions de Minuit, 1970.

vers les sections littéraires, orientation qu'elles payent dès l'entrée de l'enseignement supérieur, puisqu'une bonne partie des portes se referment devant elles. Leurs performances en mathématiques sont-elles inférieures à celles des garçons ?

A partir d'une enquête nationale d'évaluation des performances en français et en mathématiques des élèves du cours élémentaire 2e année (CE2), de sixième et de troisième, menée par le ministère de l'Education nationale, on peut remarquer que les performances des filles en mathématiques rivalisent avec celles des garçons. Ce n'est que plus tard dans le cursus scolaire que l'on peut déceler quelques différences, le plus souvent de faible ampleur. Ces différences de sexe, du reste, résultent parfois d'un effet de sélection, c'est-à-dire qu'elles sont mesurées sur des populations qui, en toute rigueur, ne devraient pas être comparées, car n'ayant pas suivi les mêmes parcours scolaires, et donc les mêmes contenus d'enseignements.

Malgré cette faible différence de performances entre sexes, les filles s'orientent moins souvent que les garçons vers les filières scientifiques. Pour interpréter ce fait, de nombreuses hypothèses sont avancées, ce qui montre l'absence de certitudes établies en la matière. Les recherches se sont orientées dans deux directions. La première s'est attachée à relever les différences d'aptitudes entre garçons et filles, en mettant notamment en relief les moindres capacités de ces dernières à se positionner dans l'espace géométrique. La seconde s'est employée à souligner les différences de comportements de socialisation de sexe, en insistant soit sur l'intériorisation par les garçons et les filles de leurs rôles sociaux respectifs, soit sur le rôle stratégique de l'éducation familiale dans l'encadrement scolaire des enfants.

On peut considérer avec C. Baudelot et R. Establet que « les principes explicatifs déterminants semblent aujourd'hui relever davantage de l'explication socioculturelle que de la psychologie des aptitudes. (...)

Entrer dans une filière scientifique, ce n'est pas entrer dans un univers particulier de la connaissance, c'est d'abord se lancer au cœur de la compétition scolaire »[1]. Or les garçons sont mieux préparés, depuis leur plus tendre enfance, à l'univers de la compétition que ne le sont les filles, ne serait-ce que par leurs pratiques sportives, ou par les jeux, en général plus agressifs, par lesquels ils s'affirment. Cette affirmation de soi, qui est refoulée à l'école, dessert les garçons dans les premières années de la scolarité et profite aux filles, plus à même d'intérioriser les règles. Il n'en va pas de même, lorsque vient l'heure des choix d'orientation, car une fille ne s'orientera en section scientifique que si son niveau réel en mathématiques est bon, voire très bon. Un garçon n'aura pas ces mêmes scrupules, même un niveau médiocre ou faible ne l'empêchera pas de postuler en section scientifique. Différentes enquêtes montrent que les filles attribuent leur manque de réussite en mathématiques au manque d'aptitude, alors que les garçons estiment quant à eux qu'il s'agit d'un manque de travail. Au bout du compte, les filles accumulent les performances scolaires dans les étapes initiales du cursus scolaire, mais au moment des orientations décisives, elles doutent de leurs capacités, laissant les garçons reprendre le dessus..., en partie au culot.

On peut également penser que ce qui se joue à travers l'éducation donnée aux garçons et aux filles, ce sont en définitive deux rapports à l'avenir bien différenciés. Quelle que soit la classe sociale de référence, des dispositions spécifiques seraient inculquées aux filles et aux garçons. Le déficit d'orientation des filles en sections scientifiques s'expliquerait ainsi par fait que les parents n'auraient pas le même niveau d'exigence quant à l'avenir professionnel de leurs filles et, de ce fait, relativiseraient pour elles l'importance des mathématiques, comme garant de leur future réussite sociale.

1. C. Baudelot, R. Establet, *op. cit.*

Chapitre III

UN MODÈLE FÉMININ D'ENTRÉE
DANS LA VIE ADULTE

Nul ne peut plus raisonnablement envisager une carrière professionnelle sans disposer d'un minimum d'atouts scolaires. L'école est devenue une étape préparatoire décisive à l'insertion professionnelle, le passage obligé vers l'emploi. Les différences importantes de scolarité entre garçons et filles, notamment en matière d'orientation, ont des effets qui débordent le cadre du système éducatif, en prédéfinissant leurs futurs rôles professionnels. Leur prise en compte permet de mieux comprendre les différences d'entrée dans la vie active, selon le sexe. Plus largement, c'est l'ensemble des comportements d'insertion sociale, tels que le départ du domicile des parents et l'entrée dans la vie conjugale, qui sont révélateurs des différences de sexes, au point que l'on puisse établir l'existence d'un modèle spécifiquement féminin d'entrée dans la vie adulte.

I. — L'entrée dans la vie active :
une dévalorisation scolaire
et sociale au féminin ?

Les jeunes éprouvent des difficultés pour entrer dans l'emploi. Ce constat n'est certes pas nouveau, puisqu'il date de la deuxième moitié des années soixante-dix. Toutefois, la détérioration des conditions d'insertion professionnelle n'a cessé de s'accentuer au cours de ce dernier quart de siècle. Un certain nombre d'indicateurs attestent de l'étendue de ces difficultés qui frappent particulièrement les femmes.

L'entrée dans l'emploi est tout d'abord plus incertaine. Les jeunes en âge de travailler sont en effet la catégorie la plus touchée par le chômage : en 1984, les moins de 25 ans ne représentent pas moins de 40 % des 2,5 millions de chômeurs[1]. Pour autant, la population juvénile n'est pas toute concernée au même degré par ces difficultés. Les jeunes femmes sont généralement surexposées aux difficultés d'accès à l'emploi. Cela se traduit concrètement par un taux de chômage plus élevé. Cette ségrégation sexuelle, visible à tous les niveaux de diplômes, est encore plus manifeste aux niveaux de formation les plus bas. Actuellement, près de 40 % des jeunes femmes sorties de l'école sans diplôme commencent leur « carrière » professionnelle à l'ANPE, contre 26,3 % des hommes. L'absence de diplôme accentue les différences entre chômage masculin et chômage féminin. Pour une fille, plus encore que pour un garçon, entrer dans la vie active sans aucun diplôme relève donc de la gageure et constitue sans aucun doute un cumul de handicaps difficilement surmontable dans un contexte de crise économique durable.

Tableau 8. — **Taux de chômage des jeunes de 15 à 24 ans selon le sexe et le diplôme** (en %)

	Pas de diplôme	BEPC	CAP/BEP	Bac	Bac +2	≥Bac +3
Hommes	26,3	15,9	11,8	9,8	5,7	5,6
Femmes	39,4	25,5	22,1	18,6	11,6	11,2

Source : INSEE, Enquête Emploi 1991.

1. Ce fort chômage juvénile a entraîné une réorientation de la politique pour l'emploi, dès 1985 (Travaux d'utilité collective...), qui a eu pour effet, dans la deuxième moitié des années quatre-vingt, d'abaisser sensiblement le nombre de jeunes au chômage.

C'est probablement l'étendue de ces difficultés qui conduit les jeunes femmes sans diplôme à se décourager très rapidement et à se retirer du marché du travail. Nombreuses sont en effet celles qui renoncent à « pointer à l'ANPE » : à 24-25 ans, 16 % des jeunes femmes sont inactives, soit deux fois plus qu'à 20-21 ans[1].

L'apparition et le développement des formes précaires d'emplois[2] sont également la marque des changements intervenus ces dernières années aux débuts de la vie active. Ce que l'on appelle la période de transition, c'est-à-dire la durée comprise entre la sortie du système scolaire et la stabilisation dans un emploi, se caractérise de plus en plus par la multiplication de situations floues, mêlant emploi, chômage et formation, parfois de façon concomitante. A ce titre, l'extension du travail à temps partiel, principalement endossée par les femmes, reflète assez bien les nouvelles conditions d'insertion faites de précarité et d'incertitudes. Devant la baisse continue des offres d'emplois à temps plein, le temps partiel devient un passage quasi obligé pour s'inscrire sur le marché du travail, et apparaît comme une issue au chômage[3]. Les jeunes femmes en début de vie active sont, de toutes les catégories d'actifs, celles pour qui, faute de mieux, le travail à horaire réduit s'est le plus développé. Au cours de la décennie 1982-1992, il a pratiquement doublé pour les jeunes femmes sans enfant.

Enfin, l'entrée dans la vie active est plus tardive, sans que l'on puisse pour autant établir un lien méca-

1. Source : INSEE. D. Balan et E. Join-Lambert, De l'école à l'emploi : les 16-25 ans en mars 1991, *INSEE Première,* n° 189, avril 1992.
2. Ces formes précaires d'emplois correspondent principalement aux stages et aux « emplois aidés », c'est-à-dire à des contrats de travail à durée déterminée, à rémunération plafonnée inférieure au SMIC, et à temps de travail partiel : citons pour exemples les « contrats emploi solidarité », « SIVP », « contrats de qualification », « contrats d'adaptation », etc.
3. Pour une analyse développée de cette tendance, on peut se reporter à P. Bouffartigue, F. de Coninck, J.-R. Pendariès, Le nouvel âge de l'emploi à temps partiel. Un rôle nouveau lors des débuts de vie active des femmes, *Sociologie du travail,* n° 4/1992.

nique entre ce report et l'allongement de la scolarité. C'est plus profondément le passage direct de l'école à l'emploi qui a été, ces dernières années, remis en question. Les enquêtes du CEREQ (Centre d'études et de recherches sur les qualifications) montrent que la part des jeunes recrutés au plus tard neuf mois après leur sortie de l'école est en sensible diminution.

Les jeunes ont donc de plus grandes difficultés que par le passé à intégrer le marché du travail, alors même que leur niveau de formation n'a jamais été aussi élevé. Un tel constat, qui s'applique tout particulièrement aux jeunes filles, ne saurait faire oublier la caractéristique majeure du marché de l'emploi de ces dernières années : à savoir la présence de plus en plus massive et durable des femmes sur le marché du travail. Cette présence accrue est la conséquence indéniable des nombreux points marqués par les femmes à l'école. Toutefois, leur investissement éducatif est loin d'avoir produit tous les effets escomptés sur le marché du travail. D'une part, l'orientation scolaire des filles diverge sensiblement de celle des garçons (chap. II), ce qui n'est pas sans conséquence sur leur futur emploi. D'autre part, à diplôme égal, elles continuent de subir une discrimination liée à leur sexe.

1. **L'orientation scolaire et professionnelle.** — Un grand nombre d'enquêtes ont mis l'accent sur les logiques d'échec scolaire qui éliminaient les enfants des couches populaires. Moins fréquentes sont celles qui ont souligné les différences de parcours scolaires entre garçons et filles. Ces orientations différentes offrent généralement aux filles des débouchés professionnels plus restreints et moins valorisés. C'est ainsi que les diplômes universitaires se monnayent, avec plus ou moins de succès, sur le marché de l'emploi, selon le sexe de leurs titulaires[1]. Les difficultés d'insertion pro-

1. Cf. A. Frickey, *op. cit.*

fessionnelle des jeunes femmes à la fin de leurs études se vérifient en fait à tous les niveaux de formation. Les enquêtes du CEREQ attestent qu'elles sont à la fois moins présentes dans les emplois stables, et plus nombreuses à connaître le chômage, dès la sortie du système scolaire.

Tableau 9. — **Insertion professionnelle des jeunes sortis du système scolaire avec un diplôme égal ou supérieur au baccalauréat** (en %)

	Proportion de jeunes ayant accédé directement à un premier emploi stable (1)		Proportion de jeunes ayant connu une durée totale de chômage supérieure à un an au cours des 2 ans et 9 mois après la sortie du système éducatif	
	Hommes	Femmes	Hommes	Femmes
Ecoles de commerce	83	80	1,5	3,7
Ecoles d'ingénieur	82	71	0,8	3,7
Licence-Maîtrise de sciences	66	56	1,5	7,2
Licence-Maîtrise de droit/sc. eco.	73	64	5,5	12,8
Licence-Maîtrise de lettres/ sc. hum.	53	46	9,2	9,0
BTS tertiaire	67	49	3,0	7,0
DUT tertiaire	64	54	6,3	12,3
BTS industriel	59	43	7,1	10,2
DUT industriel	47	38	5,1	16,2
Bac séries C,D,D',E	39	36	7,5	13,4
Bac séries A,B	33	27	13,9	18,8
Bac série F	34	32	9,3	20,5
Bac série G	30	28	11,8	21,0

(1) Emploi stable : emploi sur contrat à durée indéterminée ou fonctionnaire.

Source : CEREQ, Observatoire des entrées dans la vie active (diplômés 1983 ou 1984, enquêtes 1986 et 1987).

2. A diplôme égal, rendement inégal sur le marché de l'emploi.

— Sur le marché du travail, la discrimination sexuelle a la vie dure : la valeur sociale des titres scolaires est fonction du sexe de leurs titulaires. On touche là un phénomène bien mis en évidence — en termes de classes sociales — par les sociologues de l'éducation. Ces derniers ont montré que la généralisation de la scolarité, c'est-à-dire sa diffusion auprès des enfants d'ouvriers, de petits commerçants ou d'artisans, qui ne faisaient à l'école qu'un court passage avant l'entrée précoce sur le marché du travail, s'est traduite par une « inflation des diplômes »[1]. En d'autres termes, la démocratisation apparente de l'école a entraîné une multiplication des diplômes et donc, dans une certaine mesure, leur « dévaluation » sur le marché du travail. Pour un diplôme donné, les postes proposés actuellement sont généralement d'un niveau inférieur à celui auquel ce même diplôme donnait accès dans le passé. Pour illustrer ce propos, comparons deux époques bien différentes : 1972, année antérieure à la crise économique, et 1985, période à fort taux de chômage. En 1972, le baccalauréat et le DEUG conduisaient principalement leurs titulaires à devenir cadres moyens. La licence (ou plus) permettait d'accéder directement au rang de cadres supérieurs, dans 71 % des cas. Désormais, depuis 1985, le baccalauréat ne mène plus principalement qu'au statut d'employé ou d'ouvrier (dans 80 % des cas). L'obtention d'un diplôme supérieur ou égal à la licence démarque toujours, mais dans des proportions moins nettes qu'auparavant : elle ne permet plus d'accéder au rang de cadre supérieur que dans 60 % des cas en 1985.

Un déclassement social existe donc bel et bien, qui n'épargne aucun niveau de diplôme. Mais, dans l'ensemble, il est plus limité pour les titulaires de diplômes supérieurs. De fait, depuis 1972, ces derniers sont de plus en plus majoritaires parmi les jeunes accédant au rang de cadres supérieurs. D'où la contradiction suivante : d'un côté, les diplômes se déprécient, conduisant à des positions sociales moins élevées que par le passé, mais de l'autre, ces mêmes diplômes deviennent chaque jour plus indispensables pour l'accession aux statuts élevés. La dépendance entre titres scolaires et postes occupés se renforce, au détriment des non-

---

1. J.-C. Passeron, L'inflation des diplômes, *Revue française de sociologie,* n° XXIII, 1982.

diplômés, en qui on peut voir, avec P. Bourdieu[1], les principales victimes de la dévaluation des titres scolaires. Le renforcement de la relation diplôme/profession exclut les non-diplômés d'une accession éventuelle, même « par la petite porte », aux statuts sociaux les plus avantageux.

Dans tous les cas, à diplôme égal, ce déclassement affecte plus les femmes que les hommes. Entre 1972 et 1985, les femmes diplômées de l'enseignement supérieur ont vu leurs positions sociales se tasser considérablement. Les deux tiers d'entre elles pouvaient espérer un statut de cadre supérieur en début de période, contre seulement la moitié d'entre elles, en 1985. En 1972, les trois quarts de leurs homologues masculins accédaient à ce statut, ils sont pratiquement aussi nombreux en 1985. La dévalorisation des diplômes de l'enseignement supérieur est par conséquent principalement endossée par les femmes. Les hommes préservent, quant à eux, l'essentiel de leurs acquis. Le fossé entre les sexes s'élargit, le marché du travail opérant ouvertement une discrimination de plus en plus marquée, et cela, au moment même où ces dernières sont parvenues à corriger l'inégalité face à la scolarisation.

Tout ce qui précède montre que les femmes subissent très fortement la crise économique et que leur certification scolaire est moins efficace qu'elle ne l'est pour les garçons. Malgré tout, il est clair que la meilleure protection contre le chômage et la précarité consiste à intégrer une formation de haut niveau. Les filles ont donc plus que jamais « intérêt » à suivre une stratégie de certification par l'école et à recevoir la meilleure formation possible. C'est cette stratégie-là qui permet aux filles (encore relativement peu nombreuses dans ce cas) de connaître des conditions d'insertion professionnelle plus proches de celles des garçons.

---

1. P. Bourdieu, Classement, déclassement, reclassement, *Actes de la Recherche en sciences sociales,* novembre 1978.

3. Education familiale et avenir professionnel des jeunes filles.

— L'avenir professionnel des jeunes est largement déterminé par la formation scolaire reçue. Il l'est également par le milieu familial d'origine. Différentes enquêtes ont en effet montré que l'origine sociale interférait dans la relation entre diplôme et premier emploi. Cette influence du milieu familial d'origine sur l'insertion professionnelle des enfants ne s'exerce pas de la même façon sur les garçons et sur les filles. C'est ainsi que la position professionnelle des fils est fortement dépendante de celle des pères. Les filles, quant à elles, occupent des positions très concentrées dans certains emplois et dans certaines branches[1], et ce, indépendamment du statut professionnel occupé par les pères. Le statut d'employé leur est généralement dévolu et constitue leur avenir professionnel le plus probable.

Tout se passe comme si les filles échappaient à l'influence de l'origine sociale pour constituer une catégorie à part, dont le destin probable serait de devenir employée. Seules les filles de cadres font exception : bien que se retrouvant généralement à un rang professionnel inférieur à celui de leur père, elles évitent, plus que toute autre, la destinée d'employée et résistent ainsi plus efficacement à la relégation sociale.

L'influence du milieu familial d'origine sur l'insertion professionnelle des jeunes femmes ne se mesure pas seulement par la position sociale du père. Elle s'évalue également par la prise en compte de l'éducation reçue au sein de la famille. Un ensemble d'études ont souligné que ce qui se joue à travers l'éducation spécifique donnée aux enfants, selon qu'ils sont filles ou garçons, ce sont deux rapports à l'avenir bien différenciés qui renvoient à des places et des fonctions particulières pour les hommes et les femmes. Ainsi, « quelle que soit la classe de référence, des dispositions spécifiques seraient incul-

---

1. P. Clémenceau, M. de Virville, Garçons et filles face à leur insertion professionnelle, *Economie et Statistique,* n° 134, juin 1981, p. 60-61.

Tableau 10. — **Groupe socioprofessionnel
du fils ou de la fille
en fonction de celui du père** (en %)

Groupe socio-professionnel du père		Groupe socioprofessionnel du fils ou de la fille						
		Agricult. Exploit.	Patron	Cadre	Profession Interméd.	Employé	Ouvrier	Ensemble
Fils ou fille âgé de 25 à 39 ans								
Agriculteur Exploitant	Fils	25,2	6,6	4,9	14,3	8,1	40,8	100,0
	Fille	13,3	4,7	2,5	18,9	47,0	13,6	100,0
Patron	Fils	0,8	19,5	13,6	22,3	10,0	33,8	100,0
	Fille	1,2	9,6	6,9	24,7	47,4	10,2	100,0
Cadre	Fils	0,6	5,6	39,0	32,7	12,6	9,6	100,0
	Fille	0,8	2,7	24,5	40,4	29,4	2,3	100,0
Profession Intermédiaire	Fils	0,3	7,5	18,4	34,4	15,8	23,7	100,0
	Fille	0,7	4,1	8,5	31,9	46,9	7,9	100,0
Employé	Fils	0,5	4,3	11,5	26,0	23,4	34,4	100,0
	Fille	1,3	2,7	4,6	25,9	58,2	7,3	100,0
Ouvrier	Fils	0,9	5,7	4,5	17,8	12,5	58,6	100,0
	Fille	0,9	3,6	1,8	11,2	55,9	26,5	100,0
Ensemble	Fils	4,3	7,6	11,0	22,0	13,0	42,0	100,0
	Fille	2,6	4,4	5,5	20,2	50,6	16,7	100,0

Source : INSEE, Enquête FQP 1985, tableaux 2 et 26, p. 38
et p. 152. Le tableau se lit ainsi : sur 100 filles d'agriculteurs, 47 deviennent employées.

quées aux filles et aux garçons », les premières étant
« plutôt préposées à assurer l'avenir démographique de
la famille, ceci par le mariage plus que par une activité
économique »[1].

Ces résultats, quoique tranchés, ont l'intérêt de souligner implicitement le caractère sexué des relations de
filiation, et plus précisément des actions éducatives des
parents. On peut ainsi à titre d'hypothèse expliquer la
genèse des différences de sexes en matière de carrière
professionnelle par la force des liens entre mères et

1. M. Chaudron, Sur les trajectoires sociales des femmes et des
hommes : stratégies familiales de reproduction et trajectoires individuelles, in *Le sexe du travail. Structures familiales et système productif,*
PUG, 1984, p. 25.

filles, d'un côté, et pères et fils de l'autre. Cette proximité entre parents et enfants de même sexe contribuerait ainsi à préparer ces derniers à leurs futurs rôles sociaux, d'épouse et de mère pour les filles, de travailleur pour les garçons. Cette division des tâches perpétuée par la famille d'origine est d'autant plus visible « dans les milieux les plus défavorisés où, dès le moindre signe de difficultés scolaires, il y a chez les filles abandon complet de toute visée professionnelle et repli avec résignation sur un projet d'avenir dominé par la famille »[1] et la vie domestique.

En conclusion, ceci laisse à penser que « ce n'est pas en termes de niveau d'ambition qu'il faudrait interpréter les différences observées dans les choix professionnels », entre filles et garçons, « mais plutôt par référence aux stéréotypes des rôles professionnels (et des rôles tout court) masculins ou féminins »[2]. Ces stéréotypes sont largement transmis, sous la forme de l'éducation, par la famille d'origine. C'est ainsi qu'à niveau de diplôme équivalent les filles choisissent plutôt des filières paramédicales et sociales (infirmières, gardiennes d'enfants, etc.), qui toutes incorporent dans leurs qualifications des qualités et savoir-faire censés appartenir en propre au sexe féminin.

II. — Départ du foyer parental et entrée dans la vie conjugale

Le départ du foyer parental constitue un moment important de l'entrée dans la vie adulte dans la mesure où il correspond le plus souvent aux premiers pas des jeunes vers une vie autonome. Cette entrée dans la vie adulte est généralement plus tardive de nos jours, en raison, nous l'avons vu, de l'allongement de la scolarité et des difficultés accrues d'insertion professionnelle ren-

1. M. Duru-Bellat, *op. cit.,* p. 190.
2. M. Duru-Bellat, *op. cit.,* p. 88-89.

contrées par les jeunes. En conséquence, depuis ces dernières années, les jeunes restent plus longtemps chez leurs parents[1]. Maintien prolongé des jeunes chez leurs parents et développement du célibat constituent en effet aujourd'hui les changements majeurs qui affectent ce processus d'insertion sociale. Toutefois, cette étape de l'existence prend pour les jeunes filles une signification et des contours très différents des garçons, de telle sorte que l'on puisse affirmer l'existence d'un modèle spécifiquement féminin d'entrée dans la vie adulte.

Tableau 11. — **Maintien chez les parents des 20-24 ans, de 1979 à 1991** (en %)

	1979	1982	1984	1986	1989	1991
Vivant chez leurs parents :						
Garçons	52,2	52,6	57,6	57,3	61,5	59,6
Filles	37,5	37,9	41,7	43,5	46,4	47,2

Source : INSEE, Enquêtes Emploi.

1. **Des comportements sexués : quitter ses parents ou prolonger son séjour.** — La prolongation du séjour au domicile des parents peut être éclairé à la lumière de deux éléments d'interprétations.

A) *De nouveaux liens entre générations ?* — Sondage après sondage, s'affirme l'idée que la famille est une valeur positive chez les jeunes et qu'ils s'y trouvent bien. De là à en déduire que le maintien prolongé chez les parents est la simple résultante des bonnes relations à l'intérieur de la famille, il n'y a qu'un pas que les discours ambiants n'hésitent pas à franchir. Le maintien prolongé au domicile familial correspondrait alors à un renouveau des valeurs familiales et à un resserrement

---

1. T. Blöss, F. Godard, La décohabitation des jeunes, *Les Cahiers de l'INED*, PUF, coll. « Travaux et Documents », n° 120, 1988.

des liens entre générations. Pourtant, si l'on s'en tient également aux sondages, on ne manquera pas de constater que s'ils en avaient le choix, 85% des jeunes de moins de 20 ans choisiraient une autre formule que la vie chez les parents[1]. On doit par conséquent se garder de toute lecture hâtive des comportements juvéniles, car les systèmes d'explication les plus évidents ou les plus commodes deviennent rapidement insuffisants ou inadaptés à la réalité mouvante de la situation des jeunes.

B) *Chômage des jeunes et différences de sexe.* — Le maintien prolongé sous le toit familial peut aussi être interprété comme une conduite de crise, c'est-à-dire comme la conséquence des difficultés d'insertion professionnelle rencontrées par un nombre croissant de jeunes. Dans quelle mesure la forte augmentation du chômage juvénile entraîne-t-elle une prolongation du séjour chez les parents? D'une manière générale, les jeunes chômeurs (entre 20 et 24 ans) des deux sexes et

Tableau 12. — **Présence des jeunes (20-24 ans) au foyer parental suivant leur sexe, leur situation professionnelle et la catégorie socioprofessionnelle de leur père** (en %)

PCS du père	Actifs occupés		Chômeurs	
	Hommes	Femmes	Hommes	Femmes
Agriculteurs	70,5	39,5	75,8	58,0
Commerçants/Artisans	55,1	35,3	87,3	53,3
Cadres Sup.	46,4	40,3	65,8	51,7
Prof. Intermédiaires	53,9	31,8	79,4	66,4
Employés	48,7	33,5	79,5	52,9
Ouvriers	55,7	36,9	79,4	44,9

Source : INSEE, Recensement de population de 1982. Ce tableau se lit ainsi : 70,5% des fils d'agriculteurs, âgés de 20-24 ans et occupant un emploi habitent chez leurs parents.

1. M. Poncet, Les 15-20 ans et le logement, *Phosphore : le magazine des années lycée,* sondage exclusif Harris-Phosphore, n° 47, Paris, 1984, p. 29-35.

de toutes origines sociales résident plus souvent dans leur famille que les jeunes actifs ayant un emploi, cette tendance se confirmant au cours des recensements de population successifs.

Un clivage oppose les jeunes actifs ayant un emploi, plus rapidement indépendants sur le plan résidentiel aux jeunes chômeurs plus captifs de leur famille. Toutefois, le flou croissant des situations d'insertion nuance quelque peu ce clivage. On reste de plus en plus chez soi, même en étant actif, étant donné le caractère de plus en plus précaire et instable de l'emploi occupé. Les statuts professionnels proposés aux jeunes (stages, TUC, contrat de travail à durée déterminée, etc.), à mi-chemin entre l'inactivité et un véritable emploi ne suffisent pas à leur garantir une autonomie matérielle suffisante pour qu'ils quittent leurs parents.

Le chômage joue donc un rôle suspensif sur le départ des jeunes. Mais, point important, ce constat vaut essentiellement pour les garçons[1] : plus de 8 jeunes chômeurs sur 10 résident chez leurs parents, contre moins de 6 jeunes chômeuses sur 10. Le chômage est donc vécu différemment par les jeunes selon leur sexe. Les jeunes chômeuses « décohabitent » plus tôt et ont plus souvent recours au mariage. Les jeunes chômeurs prolongent leur séjour au foyer parental, en célibataires. Ainsi, au début des années quatre-vingt, 28 % des premières vivent en couple[2], contre seulement 8 % des seconds. Pour les filles, le chômage accentue la précocité au mariage, à la différence des garçons pour qui l'entrée dans la vie conjugale passe par l'accès à un emploi stable[3].

1. O. Galland, Formes et transformations de l'entrée dans la vie adulte, *Sociologie du travail,* XXVII, 1/1985, p. 32-52.
2. N. Coeffic, Chômage et famille, *Données sociales,* éd. 1984, INSEE.
3. T. Blöss, A. Frickey, F. Godard, Quitter ses parents. Itinéraires de deux générations de femmes, *Revue française de sociologie,* XXXI, 1990.

C) *Des jeunes femmes plus précoces.* — L'appartenance de sexe joue par conséquent un rôle essentiel dans les conditions de départ du foyer parental. Toutes choses égales par ailleurs, c'est-à-dire à origine sociale et à niveau de diplôme identiques, les comportements d'insertion des filles sont bien spécifiques. Les filles quittent systématiquement plus tôt le domicile des parents que les garçons[1] : à 25 ans, âge repère, on constate qu'elles sont quasiment deux fois moins nombreuses à vivre chez leurs parents que les jeunes hommes (respectivement 19,5 % et 36,1 %, selon l'Enquête Emploi de 1991 de l'INSEE). Leur plus grande précocité au mariage — ou à la mise en couple — conduit à dire que c'est globalement l'entrée dans la vie adulte qui ne s'effectue pas aux mêmes âges que pour les garçons.

Comment interpréter ce départ plus précoce des jeunes filles du domicile familial ? On peut penser, avec O. Galland[2], que si elles prennent plus tôt leur envol c'est en partie parce qu'elles se soucient — ou se souciaient[3] — moins que les garçons d'assurer leur position professionnelle avant de songer à former un couple stable. On peut également penser, avec F. Battagliola[4], que cette plus grande précocité traduit le désir croissant d'autonomie des jeunes femmes qui, toujours plus « surveillées » et plus sollicitées pour les tâches domestiques que les garçons, préfèrent s'affranchir plus rapidement de leur famille, que ce soit pour se mettre en ménage ou pour vivre seule.

2. Tradition et modernité féminines : le célibat contre le mariage ? — Le plus souvent, les jeunes filles quittent

---

1. T. Blöss, F. Godard, *op. cit.,* p. 32.
2. O. Galland, *Sociologie de la jeunesse. L'entrée dans la vie,* Ed. A. Colin, coll. « U », 1991, p. 124.
3. Les comportements des jeunes filles ont en effet évolué, et l'on doit, aujourd'hui plus que par le passé, prendre en compte le fort investissement consenti par les nouvelles générations de jeunes filles pour se former et réussir leur insertion professionnelle.
4. F. Battagliola, *La fin du mariage ?,* Paris, Syros, 1988.

leurs parents pour se marier. Traditionnellement, la filière matrimoniale représente, pour elles, la voie directe d'entrée dans la vie adulte. Plus on descend dans l'échelle sociale et plus ce motif est prépondérant, tout particulièrement pour les jeunes femmes sans emploi et issues des classes populaires. Les hommes ont, pour leur part, généralement connu avant le mariage une vie de garçon, à distance parfois symbolique des parents. Le terme même de « garçonnière » (désignant un petit appartement occupé par une personne seule), bien que tombé en désuétude dans le langage courant, rappelle l'existence de comportements d'émancipation masculine antérieurs au mariage.

L'institution du mariage connaît cependant, depuis plus de deux décennies, une régression sensible[1]. Le mariage précoce est remis en cause et on assiste à un recul de l'âge moyen au premier mariage : il est en 1991 de 28 ans chez les hommes et de 26 ans chez les femmes, soit l'âge le plus élevé jamais constaté depuis la fin de la deuxième guerre mondiale. L'effritement du mariage est plus important chez les jeunes femmes que chez les jeunes hommes : en 1975, les proportions de mariés parmi la population des ménages de 20-24 ans étaient de 25,9 % pour les garçons et de 45,7 % pour les filles. En 1991, elles sont respectivement de 4,6 % et 13,9 %. L'écart entre garçons et des filles s'est donc quasiment réduit de moitié[2].

Le mariage précoce se faisant plus rare, on pourrait penser que les jeunes choisissent une voie *a priori* plus souple ou flexible de vie en couple, telle que le concubinage, autrement intitulé « cohabitation hors mariage ». Et il est vrai que cette nouvelle forme de vie maritale connaît un vif essor, particulièrement depuis

1. En 1992, le taux de nuptialité est au plus bas depuis quarante ans : 4,7 mariages pour 1 000 habitants. (Source INSEE.)
2. Très précisément : les taux de primo-nuptialité, c'est-à-dire relatifs aux hommes et aux femmes célibataires avant le mariage, et non pas divorcés, ni veufs.

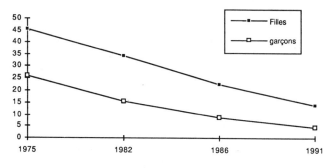

Source : INSEE, Enquêtes Emploi.

Fig. 4. — Evolution du mariage chez les 20-24 ans : 1975-1991 (en %).

la seconde moitié des années soixante-dix. L'expansion de ce nouveau mode de vie conjugale a fait l'objet de multiples interprétations souvent contradictoires. Démographes et sociologues s'interrogent en effet sur sa signification et ses conséquences. Il a en effet été perçu, dans un premier temps, comme une cohabitation prénuptiale, c'est-à-dire comme une sorte de « mariage à l'essai » que le couple officialiserait ou régulariserait ultérieurement. Puis, devant la baisse continue de la nuptialité et l'augmentation des naissances hors mariage, il a plus récemment été compris comme un « nouveau modèle matrimonial »[1] alternatif au mariage, comme un véritable comportement conjugal et familial durable. Les naissances d'enfants hors mariage, évaluées à une sur dix au début des années quatre-vingt, ont en effet triplé au cours de cette dernière décennie pour concerner, au début des années quatre-vingt-dix, près d'un enfant sur trois (28,2 %) ; ce qui place la France au troisième

1. Cf. J.-P. Sardon, Un nouveau modèle matrimonial, *Les Cahiers français,* n° 219, janvier-février 1985, p. 36-40.

rang parmi les pays occidentaux, juste derrière la Suède et le Danemark.

La cohabitation hors mariage, comme mode d'entrée dans la vie conjugale, ne peut être l'expression d'une attitude univoque à l'égard du mariage. Il semble qu'en fait, comme le montre C. Villeneuve-Gokalp[1], les cohabitations hors mariage soient trop hétérogènes pour n'être que l'expression d'une nouvelle conception du couple, opposée au mariage et commune à tous ceux qui l'adoptent. Quelle que soit la période observée, certaines cohabitations se sont rapidement conclues par un mariage et d'autres l'ont exclu d'une manière durable. L'attitude récente des femmes sur ce plan traduit un changement de mentalité. Dans un premier temps, elles étaient plus nombreuses que les hommes à vivre en concubinage dans la mesure où celui-ci était, dans leur esprit, une union prénuptiale, assortie d'une « promesse » de mariage (jusqu'en 1976, près d'une femme sur trois était dans ce cas, contre moins d'un homme sur quatre). Les comportements des femmes sont devenus semblables à ceux des hommes[2], à partir du moment où ces « unions sans papiers » sont devenues des unions à part entière, *per se,* sans autre finalité qu'elles-mêmes.

« La crise du mariage » est-elle compensée par l'invention de nouvelles formes d'unions conjugales, ou bien préfigure-t-elle une « crise du couple »[3] ? Globalement, il est vrai que la proportion de jeunes vivant en couple, mariés ou non, diminue. Le développement des unions conjugales hors mariage ne suffit donc pas à enrayer la chute des unions maritales traditionnelles ou officielles. C'est plus profondément la vie en couple, sous toutes ses formes, qui perd nettement de son audience, parmi les

1. C. Villeneuve-Gokalp, Du mariage aux unions sans papiers : histoire récente des transformations conjugales, *Population,* 2, 1990, p. 268.
2. Cf. C. Villeneuve-Gokalp, *op. cit.,* p. 271-272.
3. Cf. P.-A. Audirac, Crise du mariage ou crise du couple, *Dialogue,* n° 92, 1986.

nouvelles générations. Cette baisse affecte les deux sexes, elle est toutefois plus nettement marquée chez les jeunes femmes (tableau 13).

Tableau 13. — **Baisse de la vie en couple, marié ou non, chez les jeunes, selon le sexe** (en %)

Age	Femmes		Hommes	
	1982	1991	1982	1991
21 ans	31,3	21,1	7,5	5,0
22	43,8	33,2	19,1	13,4
23	51,4	42,4	29,9	20,7
24	61,6	53,7	42,1	30,3
25	70,2	59,9	51,8	42,0

Source : INSEE, Enquêtes Emploi 1982 et 1991. Le tableau se lit ainsi : 31,3 % des jeunes femmes de 21 ans vivent en couple en 1982, contre 21,1 % en 1991.

La précarité croissante des situations professionnelles, la difficulté de trouver un logement et son coût, le prolongement des études sont autant de facteurs qui peuvent expliquer le report constaté dans la formation des couples. Dans ce contexte, l' « union libre » semble peser d'un faible poids face aux difficultés d'insertion sociale des jeunes. Ainsi, les jeunes femmes issues des couches moyennes — les plus nombreuses à vivre en couple non marié — sont celles qui, en cas de difficultés d'emploi, ont le plus souvent tendance à prolonger leur maintien au domicile des parents ou à y retourner. L'évolution des mœurs atteint assez vite, en pareille situation, ses limites !

En fait, il semble que l'on ait beaucoup insisté, ces dernières années, sur le développement de la « cohabitation hors mariage » et des « familles monoparentales », souvent à l'initiative des femmes[1]. Ces nou-

1. Les couples non mariés concernent 13 % des hommes de 21 à 24 ans et 19 % des femmes du même âge (cf. H. Léridon, C. Villeneuve-Gokalp, Les nouveaux couples : nombre, caractéristiques et attitudes, *Population,* n° 2, mars-avril 1989) ; de même, les divorces, quel que soit l'âge auquel ils se produisent, sont majoritairement initiés par les femmes.

velles structures conjugales et familiales ont quelque peu occulté le développement du célibat qui est devenu en quelques années une forme caractéristique de départ du foyer parental. Parmi les nouvelles générations, de plus en plus nombreux sont ceux et celles qui vivent seuls durablement. C'est certainement un des faits les plus marquants de l'évolution des structures familiales, avec toutes les conséquences que cela entraîne sur la taille et le nombre des ménages. Depuis ces dernières décennies, la taille moyenne des ménages est en constante réduction : de 3,1 personnes en 1962, elle est passée à 2,6 au recensement de population de 1989. Ce qui a provoqué une augmentation du nombre des ménages[1] plus rapide que celle de la population totale.

On assiste donc à un double mouvement : d'une part, les jeunes prolongent leur résidence commune avec leurs parents, d'autre part, lorsqu'ils en partent, c'est de plus en plus en tant que célibataires. Cette augmentation du célibat n'est pas de même intensité selon le sexe.

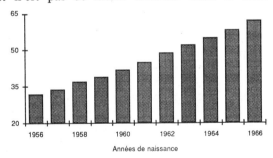

Source : INSEE, C. Launay, *INSEE Première,* n° 235, décembre 1992.

Fig. 5. — Proportion de femmes encore célibataires à la fin de l'année de leurs 25 ans (en %).

1. Un ménage, selon la définition de l'INSEE, est constitué d'une ou de plusieurs personnes vivant sous un même toit. Ce sont les ménages d'une personne qui connaissent au cours de ces dernières décennies l'augmentation la plus sensible.

Entre 1982 et 1985, elle a été de 29,8 % pour les femmes, mais seulement de 6,3 % pour les hommes. Plus de 6 jeunes filles sur 10 ont coiffé Sainte-Catherine en 1991 (c'est-à-dire étaient encore célibataires lors de leur 25e anniversaire). C'est dire l'ampleur que prend actuellement le célibat féminin dans la société française.

3. L'union séparée : un nouveau statut matrimonial ?
— L'attitude des jeunes à l'égard du célibat a été tantôt présentée comme un report volontaire du moment du mariage, tantôt comme un rejet pur et simple de l'institution matrimoniale[1], tantôt comme un report de la vie en couple[2] sous toutes ses formes. Dans ces interprétations, le célibat recouvre deux situations matrimoniales très différentes, en désignant soit des personnes vivant seules, soit des personnes vivant en couple mais sans reconnaissance officielle.

Le statut de célibataire peut masquer l'existence de nouveaux couples qui ne vivent pas vraiment ensemble. On assiste, depuis ces dernières années, à l'émergence d'une nouvelle conception des rapports conjugaux, où chaque membre du couple préserve, au moins pour un temps, son chez-soi. De plus en plus nombreux, même si leur dénombrement reste délicat, sont en effet les jeunes qui vivent officiellement et pratiquement seuls, en toute indépendance, à distance « respectable » de leur « ami(e) ». Une « union séparée », en quelque sorte, où chacun dispose de son propre logement, et où il est difficile de savoir ce qui, de la vie solitaire ou de l'union, prédomine. Ce nouveau mode de vie conjugale, véritable célibat de façade, correspond à une fréquentation amoureuse souvent irrégulière et négociée selon les possibilités matérielles ou professionnelles de chacun, mais aussi en fonction des souhaits respectifs. Il constitue un changement dans les relations entre sexes, une forme de com-

1. L. Roussel, *La famille incertaine*, Odile Jacob, 1989.
2. Ces trois hypothèses sont détaillées par O. Galland, *op. cit.*, p. 137-143.

promis, c'est-à-dire un moyen de vivre à deux sans concession véritable. Nul doute que ces nouveaux comportements soient en partie liés au désir d'émancipation sociale des jeunes femmes, à leur volonté de préserver leurs ambitions professionnelles, si longtemps hypothéquées par la division traditionnelle des rapports domestiques. Sous cette formule d'union séparée, émergerait un nouveau régime contractuel non conforme aux normes de l'institution matrimoniale, mais *a priori* plus respectueux de l'autonomie de chacun.

Les comportements d'entrée dans la vie adulte ont sensiblement évolué au cours des dernières décennies. De même qu'on peut noter une prolongation de la cohabitation parentale différenciée selon le sexe, on ne manquera pas de souligner l'apparition de nouvelles formes de départ tout aussi sexuellement contrastées.

III. — La double carrière féminine en question

L'entrée dans la vie conjugale est traditionnellement plus chargée de conséquences pour les femmes que pour les hommes[1], probablement du fait que la mise en couple a longtemps constitué pour elles un moyen de s'affranchir de la tutelle de la famille d'origine. L'élévation du niveau d'instruction des femmes constitue une nouvelle donne. Leur diplôme n'est pas une simple « dot scolaire »[2], un simple atout dans la perspective d'un beau mariage, mais un capital directement monnayable dans le champ professionnel[3]. Un certain nombre d'études montrent toutefois la difficulté qu'éprouvent les femmes à mener de front leurs carrières professionnelle et familiale, leurs ambitions pro-

---

1. M. Segalen, *Amours et mariages de l'ancienne France,* Paris, Berger-Levrault, 1981.
2. F. de Singly, Mariage, dot scolaire et position sociale, *Economie et Statistique,* n° 142, mars 1982.
3. M. Bozon, Le mariage en moins, *Société française,* p. 12.

fessionnelles cédant bien souvent le pas aux exigences familiales. « L'engagement conjugal exige de la femme un désengagement professionnel », « le domestique féminin prime sur le professionnel féminin », « le mariage est une mauvaise affaire pour les affaires professionnelles de la femme », « la femme mariée est handicapée dans sa vie de travail par sa vie de famille » sont autant de citations, empruntées à F. de Singly, qui résument assez bien le déséquilibre constaté entre vie familiale et vie professionnelle des femmes.

Le cours de l'existence féminine se dessine en fait dès l'entrée dans la vie adulte. C'est le résultat d'une enquête[1] qui souligne que les jeunes femmes quittent leurs parents soit pour prendre un conjoint, soit pour étudier ou plus directement pour travailler. On est en présence de deux voies bien distinctes d'installation dans la vie, l'une matrimoniale, l'autre individuelle. Pour autant, ces deux voies ne tarderont pas à se croiser. En effet, le départ sur le mode conjugal ne tiendra pas longtemps les femmes à l'écart du marché du travail. De la même façon, le départ en solitaire n'éloignera que peu de temps les femmes du marché matrimonial.

Malgré tout, ces deux modes d'entrée dans la vie adulte marquent durablement de leur empreinte le cours des trajectoires féminines. Quand on compare toutes choses égales par ailleurs — c'est-à-dire à statut matrimonial et origine sociale identiques — ce que deviennent ces femmes, vers l'âge de 40 ans, le constat est éloquent :

— Les jeunes femmes qui ont quitté le domicile familial pour prendre un conjoint vivent généralement des rapports domestiques traditionnels, régis par une forte division sexuelle des tâches au sein du couple. Leur conjoint est celui qui fixe, de façon déterminante,

---

1. GERM-CERCOM, *Itinéraires féminins. Les calendriers familiaux, professionnels et résidentiels de deux générations de jeunes femmes dans les Alpes-Maritimes,* CNRS/ministère de la Recherche et de la Technologie, 1989.

le niveau d'aspiration sociale de la famille, il est le dépositaire principal et permanent des ressources. Les femmes assument, quant à elles, l'essentiel de l'éducation des enfants et des travaux ménagers. Elles ont le plus souvent une activité professionnelle discontinue, faite d'arrêts et de reprises, qui laisse à penser que leur carrière professionnelle passe au second plan, sous la double contrainte des événements familiaux et de la carrière professionnelle du conjoint. En conséquence, elles accèdent à un statut professionnel généralement peu valorisé : elles deviennent ouvrières ou employées dans plus des trois quarts des cas (tableau 14).

— En revanche, les jeunes femmes qui ont quitté le domicile familial en célibataire, pour poursuivre une formation ou prendre un emploi, ont mieux préservé leur autonomie au sein de leurs relations conjugales. Elles exercent une activité professionnelle plus continue, qui s'apparente à une véritable carrière professionnelle, et qui leur permet d'accéder, dans plus de la moitié des cas, à un emploi d'encadrement (tableau 14).

Tableau 14. — **Emploi exercé au moment de l'enquête selon le mode d'entrée dans la vie et le profil d'activité professionnelle** (en %)

Emploi des femmes au moment de l'enquête	Quitter ses parents pour se mettre en couple			Quitter ses parents, seules, pour suivre une formation ou travailler		
	Actives continues	Actives discontinues	Ensemble	Actives Continues	Actives discontinues	Ensemble
Agricultrices	1,4	0,4	0,8	-	-	-
Commerçantes/Artisans	12,1	10,2	10,9	8,7	11,0	9,9
Cadres Sup.	5,0	1,3	2,7	14,5	8,2	11,3
Prof. Intermédiaires	18,4	11,1	13,9	43,5	31,5	37,3
Employées	56,0	64,5	61,2	29,0	39,7	34,5
Ouvrières	7,1	12,5	10,4	4,3	9,6	7,0
Total	100,0	100,0	100,0	100,0	100,0	100,0

Source : Enquête GERM-CERCOM, *op. cit.,* 1989. Champ : femmes mariées et âgées de 40 ans au moment de l'enquête. Le tableau se lit ainsi : 64,5 % des femmes qui ont quitté leurs parents pour se mettre en couple et qui ont eu une activité professionnelle discontinue ont le statut d'employées à l'âge de 40 ans.

Toutes les enquêtes[1] attestent de l'engagement croissant des femmes dans l'activité professionnelle, comme moyen d'émancipation individuelle et de reconnaissance sociale, mais toutes attestent aussi que cette évolution ne va pas sans leur poser de problèmes, notamment sur le plan domestique. L'étude des conditions d'entrée dans la vie adulte souligne également leur extrême difficulté de mener, à même hauteur d'ambition, une double « carrière », familiale et professionnelle.

---

1. Cf. notamment sur ce point : A. Michel (éd.), *Les femmes dans la société marchande,* Paris, puf, 1978, p. 142.

Chapitre IV

DESTINS DE FEMMES :
ENTRE TRAVAIL
ET VIE DE FAMILLE

Dans la vision commune du monde, la famille apparaît comme le pôle principal d'activité des femmes, pour ne pas dire leur lieu d'affectation obligé ou naturel. Cette vision a sa part de vérité, puisque les femmes ont effectivement joué un rôle prépondérant dans la « naissance de la famille moderne », à travers la valorisation croissante de leurs fonctions affectives et éducatives (chap. I). Elle masque cependant une composante essentielle de leur identité sociale, à savoir leur activité professionnelle : en 1990, au recensement de population, près de six femmes sur dix sont actives.

Il s'agit ici de souligner les rapports des femmes au travail, leur position au sein de la famille et l'articulation entre ces deux sphères. On peut en effet considérer que « le travail et la famille sont les deux pôles inséparables de l'existence individuelle et sociale »[1], tant il est vrai que vivre sans travail ou sans famille ne constitue qu'un mode de vie statistiquement minoritaire, et ce malgré l'action concomitante des tendances économiques et socioculturelles qui, chaque jour davantage, accroissent le nombre des personnes sans travail et sans conjoint.

Les préjugés ont la vie dure. C'est particulièrement le cas de l'opinion selon laquelle les femmes n'auraient

1. M.-A. Barrère-Maurisson, *La division familiale du travail*, puf, 1992.

réellement pris part au travail professionnel que depuis une période récente, leur irruption sur le marché de l'emploi provoquant une série de désordres en tous genres. En réalité, la participation des femmes au travail est une donnée bien ancrée dans l'histoire (chap. I). La femme au foyer est un mythe qui occulte une tradition déjà ancienne d'activité professionnelle. Pour s'en persuader, on peut faire une rapide comparaison historique et constater sans peine que l'activité des femmes, en cette fin de xxe siècle, égale à peine celle observée au début de ce même siècle. Le fait *nouveau* tient aux formes de travail et aux types d'emplois qu'elles exercent. L'entrée des femmes dans le salariat a sans doute permis un meilleur repérage statistique et une plus grande reconnaissance sociale de leur activité. La plus grande visibilité de leur activité professionnelle est assurément le facteur principal de leur émancipation sociale.

I. — La féminisation de l'emploi au XXe siècle

L'essor de l'activité féminine a joué un rôle décisif dans les transformations de la structure de la population active tout entière. Elle a suivi des variations historiques importantes. On peut distinguer avec O. Marchand et C. Thélot[1] deux grandes périodes dans l'évolution des taux d'activité professionnelle des femmes, tout au long du xxe siècle. Une première période démarre au début du siècle et s'étend jusqu'au milieu des années soixante. Elle voit l'activité des femmes diminuer de façon quasi continue, après un siècle de constante progression. Une seconde période débute au milieu des années soixante et se caractérise par une nette reprise de l'activité féminine.

1. O. Marchand, C. Thélot, *Deux siècles de travail en France,* INSEE/Etudes, 1991.

1. De l'usine au bureau. — Pendant tout le XIXe siècle, l'augmentation de la population active avait été sensible, les femmes contribuant très largement à cette évolution. La présence féminine sur le marché du travail atteint en 1911 un taux record qui ne sera pas égalé avant 1990 (tableau 15). Ce taux élevé d'activité féminine, en ce début du XXe siècle, tient à la fois aux caractéristiques de la première révolution industrielle en France, qui fait une place importante aux métiers du textile où les femmes sont destinées par « nature » — c'est-à-dire en fait par tradition domestique —, et à la place tenue par elles dans une population agricole encore très nombreuse[1]. La révolution industrielle qui a mobilisé au siècle dernier une forte main-d'œuvre de femmes, mais aussi d'enfants, constitue le point de départ de l'intégration massive des femmes dans le salariat.

Tableau 15. — **Evolution des taux d'activité professionnelle par sexe depuis deux siècles**

Date	Population active Population totale		
	Hommes	Femmes	Ensemble
1806	58,1	29,4	43,5
1831	59,4	29,7	44,3
1846	61,1	30,9	45,9
1851	61,8	31,5	46,6
1866	63,2	33,0	48,1
1881	64,7	34,4	49,5
1896	66,1	35,2	50,5
1911	66,9	**36,2**	51,3
1921	69,3	35,5	51,6
1931	67,4	32,8	49,5
1936	63,9	30,6	46,6
1946	64,6	32,3	47,7
1955	61,6	30,7	45,6
1962	58,4	28,2	42,9
1974	54,7	30,8	42,5
1990	50,8	**36,2**	43,3

Source : INSEE, O. Marchand, C. Thélot, *Deux siècles de travail en France,* INSEE/Etudes, 1991, p. 69.

1. Rapport au ministre des Droits de la femme, *Les femmes en France dans une société d'inégalités,* La Documentation française, 1982, p. 12.

D'après les données des recensements, on observe, après la première guerre mondiale, une nette inflexion dans l'évolution de l'activité féminine. La part des femmes dans la population active stagne et même diminue. Deux facteurs expliquent ce retrait relatif des femmes du marché du travail. D'une part, la poursuite inexorable du déclin de l'agriculture et, consécutivement, la réduction des activités d'aide familiale ; d'autre part, la baisse de l'emploi industriel traditionnel qui occupait une main-d'œuvre très féminisée. Les fermetures en chaîne dans les industries textiles et de l'habillement mettent un terme au travail ouvrier des femmes comme forme dominante d'activité salariée.

Cette baisse quantitative de l'emploi féminin, au cours de cette première moitié de XXe siècle, masque en fait des tendances fort contradictoires. En effet, parallèlement au déclin relatif des femmes agricultrices et ouvrières, on enregistre de façon significative l'entrée des femmes dans les bureaux, dans l'administration en particulier, conséquence de l'apparition de la machine à écrire[1]. De nouveaux emplois de dactylos, secrétaires, etc., s'ouvrent aux femmes dans les entreprises et l'administration étatique, signe d'une économie qui se modernise et se bureaucratise. De même, le développement du mode de production capitaliste entraîne une distribution de masse. De grands magasins employant un grand nombre de vendeuses succèdent peu à peu aux boutiques familiales. Ces deux catégories d'emplois de bureau et de commerce forment un secteur d'activité économique tertiaire fort utilisateur d'une main-d'œuvre abondante et bon marché. Le XXe siècle est par conséquent le théâtre d'une « migration » des femmes de la production domestique et industrielle vers les emplois de services[2].

---

1. G. Thuillier, J. Tulard, *Histoire de l'administration française,* Paris, PUF, coll. « Que sais-je ? », 1984.
2. Cf. J.-W. Scott, L.-A. Tilly, *op. cit.*

Alors que le travail féminin diminue à l'usine, il augmente dans les bureaux, sans que l'on assiste, au moins dans un premier temps, à une amélioration du statut social et professionnel des femmes, car les « emplois modernes », pas plus que les emplois traditionnels, ne requièrent de compétences particulières de la part des femmes et ne les placent à égalité de salaire avec les hommes.

2. L'extension du salariat féminin. — Avec le début des années soixante, s'ouvre une période de salarisation massive des femmes qui investissent le marché des emplois tertiaires, notamment les services publics (santé, éducation, service social, etc.). Les hommes, quant à eux, subissent de plein fouet la baisse de l'emploi industriel (sidérurgie, charbonnages, métallurgie...) et voient leur taux d'activité décliner de façon continue (tableau 15).

Deux mutations de la structure sociale vont de pair avec la tertiarisation progressive de l'économie française.

Première mutation : la féminisation de la population active. Depuis le début des années soixante, le taux d'activité des femmes progresse à nouveau, alors que celui des hommes plafonne, tout particulièrement depuis la crise économique aiguë du milieu des années soixante-dix. Après l'urbanisation et l'industrialisation de la société française, une nouvelle ère s'ouvre. Le bureau, l'hypermarché, l'hôpital, l'école supplantent l'usine et l'atelier comme lieux de travail caractéristiques[1]. Cette tertiarisation a une incidence sensiblement plus forte chez les femmes que chez les hommes : en 1990, trois femmes sur quatre travaillent dans les services (marchands et non marchands) contre un homme sur deux.

La féminisation de la population active (actifs ayant un emploi et chômeurs confondus) atteint désormais

1. O. Marchand, C. Thélot, *op. cit.,* p. 107.

44,2 %[1]. Progressivement donc, la population active de la France devient mixte, du moins en apparence.

Deuxième mutation : la prédominance irrémédiable du salariat. La croissance des emplois salariés vaut pour les deux sexes, mais est beaucoup plus forte chez les femmes, au point que pour la première fois, en 1975, dans l'histoire du monde du travail, la proportion de femmes salariées parmi les femmes actives devient supérieure à celle des hommes. Et depuis le milieu des années soixante-dix, les femmes ne cessent de creuser l'écart[2].

La progression accélérée de l'activité féminine et l'extension du salariat sont par conséquent deux facteurs essentiels et, semble-t-il, irréversibles qui ont déterminé, depuis les années soixante, les transformations de la population active. Cette évolution se double d'une transformation dans l'organisation interne à la vie familiale. En effet, depuis le début des années quatre-vingt, le modèle dominant marqué par la division du travail dans les familles, où l'homme était le pourvoyeur principal des ressources, et la femme, prioritairement chargée du travail domestique, est progressivement remplacé par un modèle consacrant l'avènement d'une famille « association »[3], où les deux conjoints travaillent. La multiplication des familles « à deux apporteurs », ou « à double carrière », selon les désignations utilisées, reflète les mutations profondes que connaissent les femmes, tant sur le plan professionnel que familial. Emploi féminin et organisation familiale ont donc évolué de concert.

1. Au recensement de population de 1990, la population active féminine atteint 11,1 millions, celle des hommes 14 millions.
2. En 1975, parmi les femmes actives, 84,1 % exerçaient un emploi salarié contre 81,8 % chez les hommes. Au recensement de 1990, ces proportions sont respectivement de 88,5 % et de 85,6 %. La diminution de l'emploi agricole est le déterminant essentiel de cette évolution. (Source : *Population et Sociétés*, juillet-août 1992, n° 270.)
3. A.-M. Barrère-Maurisson, *Sociologie du travail*, n° 3/1984.

II. — L'activité féminine :
entre émancipation sociale
et domination de sexe

L'essor de l'activité féminine correspond autant aux impératifs économiques qu'aux évolutions des mentalités, des aspirations et des revendications des femmes elles-mêmes. Raisons productives et raisons sociologiques ne tirent pas nécessairement dans le même sens. Aussi, dira-t-on que le développement de l'activité féminine peut être l'expression d'un double mouvement d'émancipation sociale des femmes, et de reproduction des rapports de domination de sexe.

1. Les voies de l'émancipation féminine. — L'augmentation du taux d'activité des femmes s'accompagne d'une présence de plus en plus durable sur le marché du travail. On ne peut donc se satisfaire aujourd'hui d'une opposition entre deux états : l'inactivité ou l'activité professionnelle. En effet, très peu de femmes restent à l'écart du monde du travail. Actuellement, à 30 ans, une femme sur dix seulement n'a jamais exercé d'activité, alors que parmi les générations antérieures (notamment parmi les femmes nées dans les années vingt), près d'une sur quatre était dans ce cas[1].

Trois catégories de femmes peuvent alors être distinguées :

— Les « inactives totales » sont celles qui n'ont jamais exercé la moindre activité professionnelle au cours de leur vie ; elles sont minoritaires statistiquement et en nette régression depuis ces dernières années.

— Les « actives discontinues » regroupent les femmes qui ont interrompu provisoirement ou définitivement leur activité au cours de leur existence.

1. G. Desplanques, M. de Saboulin, Activités féminines : carrières continues et discontinues, *Economie et Statistique,* n° 193-194, novembre-décembre 1986, p. 51-62.

— Les « actives continues » désignent enfin les femmes qui poursuivent de façon ininterrompue leur travail professionnel; elles sont chaque jour plus nombreuses malgré les contraintes du marché du travail et de la vie de famille.

Différents facteurs expliquent cette expansion de l'activité féminine. Elle bénéficie tout d'abord du mouvement de scolarisation (décrit dans le chapitre II). Toutes les études attestent que les femmes qui ont obtenu un niveau suffisant de qualification scolaire et professionnelle abandonnent moins fréquemment leur emploi, cherchant ainsi à valoriser la formation reçue[1].

Cette plus grande continuité de l'activité féminine constitue un démenti assez formel à l'idée, toujours présente dans les esprits, que le salaire des femmes est un salaire d'appoint. La rémunération de l'épouse est en effet encore — trop souvent — considérée comme un complément de ressources. Cette opinion prend en partie sa source dans les représentations idéologiques du siècle dernier, émanant indistinctement des réformateurs éclairés comme des théoriciens conservateurs. C'est ainsi que Jules Simon écrivait, en 1861, que le travail des femmes était nécessaire à la famille. Frédéric Le Play précisait, pour sa part, que l'activité de la femme était un supplément important au salaire du mari. Continuer de nos jours à prétendre que les femmes exercent une activité d'appoint serait oublier la très nette progression des ménages où la femme est active et l'homme inactif[2]. Quant aux couples où l'homme est actif et la femme au foyer, leur nombre est en recul accéléré[3]. C'est dire la perte de vitesse du

1. Cf. G. Desplanques, La montée de l'activité féminine, ses déterminants, in *Vie professionnelle, logement et vie familiale. Haut conseil de la population et de la famille,* La Documentation française, 1992.
2. Au cours des dernières périodes intercensitaires : +29% entre 1968 et 1975; +33% entre 1975 et 1982; et +37,7% entre 1982 et 1990. (Source : RP.)
3. Respectivement : —9,2% ; —19,3% et —27,4% au cours de ces trois mêmes périodes intercensitaires.

modèle traditionnel qui façonne encore de nos jours les représentations courantes sur la répartition des responsabilités et des rôles familiaux. Dans cette évolution, les femmes d'indépendants (artisans, commerçants, patrons) ont, comme les autres, pris leur part en obtenant une certaine reconnaissance sociale dans le cadre des relations conjugales. En effet, lorsqu'elles travaillent pour l'entreprise familiale, de plus en plus nombreuses sont les épouses qui ont acquis une identité professionnelle propre, distincte de celle de leur mari, soit avec le statut de salarié d'entreprise, soit en se déclarant « à leur compte ». Sans compter que ces femmes d'indépendants travaillent de plus en plus à l'extérieur de l'entreprise familiale[1].

2. **La division sexuelle du travail.** — Les femmes n'ont pas recueilli tous les avantages escomptés par le développement de leur activité. Les différences de carrière par rapport à leurs homologues masculins sont évidentes et reconnues de tous. Un certain nombre d'écueils subsistent néanmoins relatifs au statut des emplois qu'elles occupent, ainsi qu'à leurs conditions de qualification, de travail et de rémunération.

A) *La non-mixité de l'emploi.* — L'accroissement de l'activité féminine, jamais démenti par la crise économique, ne signifie pas que les femmes se sont déployées indifféremment dans tous les secteurs d'emplois. En théorie, les femmes ont libre accès à la quasi-totalité des métiers. Mais l'examen de la structure des emplois est sans appel : les hommes et les femmes n'exercent généralement pas les mêmes professions. Non seulement il

1. La proportion d'épouses aides familiales a beaucoup baissé : 35% en 1971, 25% en 1988. *A contrario,* la proportion de femmes d'indépendants (artisans, commerçants, chefs d'entreprises) exerçant une activité salariée à l'extérieur de l'entreprise a fortement augmenté, passant de 11% en 1971 à 26% en 1986. Cf. M. Cézard, Les femmes dans les entreprises individuelles : tradition et autonomie, *Economie et Statistique,* n° 209, 1988, p. 37.

n'existe pas de réelle mixité des emplois, mais, de plus, une partie d'entre eux sont soit typiquement masculins, soit typiquement féminins, si bien que, dans la réalité, l'éventail des choix professionnels prend pour les femmes l'allure d'une véritable peau de chagrin. Cette concentration des emplois féminins est plutôt frappante[1]. Jugeons plutôt : les professions du tertiaire sont féminisées à 56%, alors que celles de l'industrie le sont seulement à 19%. Autre indication : en 1990, 60% des femmes actives occupées sont regroupées autour de six catégories socioprofessionnelles. Ces six catégories en question appartiennent au groupe des employés, auxquelles on peut ajouter les instituteurs et les professions intermédiaires de la santé et du travail social[2].

B) *Qualification professionnelle et qualités de sexe.* — La place des femmes dans la hiérarchie des statuts professionnels reflète de façon éclatante la ségrégation sociale en vigueur sur le marché du travail. Plus on monte dans l'échelle des professions et plus les femmes se font rares. Ainsi, à l'intérieur d'un corps professionnel aussi féminisé que l'enseignement, la représentation féminine varie en sens inverse du niveau de qualification : les femmes représentent 71% des instituteurs, 59% des professeurs certifiés, 52% des agrégés, mais 26% des enseignants du supérieur, dont seulement 7% des professeurs d'université[3].

L'extension du salariat féminin est donc à nuancer fortement selon les catégories socioprofessionnelles occupées[4]. Bien que les femmes en 1990 composent plus

---

1. Cf. M. Huet, La concentration des emplois féminins, *Economie et Statistique*, n° 154, avril 1983, p. 33-46 ; et plus récemment O. Marchand, Les emplois féminins restent très concentrés, *Données sociales, 1993*, p. 495-503.

2. Cf. O. Marchand, *op. cit.,* p. 496.

3. Source : Rapport au ministre des Droits de la femme, 1982, *op. cit.,* p. 53.

4. L. Thévenot, Les catégories sociales en 1975 : l'extension du salariat, *Economie et Statistique*, n° 91, juillet-août 1977, p. 18.

de 44 % de la population active totale, leur représentation reste très inférieure à ce chiffre pour les professions de cadres, d'agents de maîtrise, de techniciens, et d'ouvriers qualifiés. En revanche, elle est très supérieure parmi les ouvriers spécialisés, les manœuvres, et surtout les employés[1]. Les professions féminisées, c'est-à-dire occupées majoritairement par les femmes, désignent donc généralement des activités de prestation des services, des emplois d'exécution le plus souvent déqualifiés tels que vendeuses, caissières, femmes de ménage, assistantes maternelles, ou encore aide-soignantes, pour ne citer que les plus caractéristiques d'entre eux. La féminisation de l'emploi rime donc avec déqualification. C'est la caractéristique dominante de ce processus.

Tableau 16. — **Proportion des femmes dans les catégories socioprofessionnelles** (en %)

Catégorie socio-professionnelle	Part des femmes dans l'emploi total de la catégorie	
	1982	1989
Agriculteurs exploitants	38,3	37,0
Artisans, commerçants, chefs d'entreprises	35,1	34,0
Cadres et professions intellectuelles supérieures	24,3	28,4
Professions intermédiaires	39,9	42,3
Employés	**74,2**	**75,0**
Ouvriers	19,8	19,0
Ensemble	40,5	42,3

Source : INSEE, Enquêtes Emploi de 1982 et 1989.

Comment alors interpréter l'investissement du tertiaire par les femmes? Vient immédiatement à l'esprit le critère de la formation reçue. Les jeunes femmes suivent plus fréquemment les filières d'enseignement géné-

1. C'est ainsi que 86 % des agents de bureaux de la fonction publique et 76 % des employés administratifs du privé sont des femmes, sans parler des secrétaires et des dactylos qui, à 98 %, sont de sexe féminin.

ral, lesquelles conduisent principalement aux métiers tertiaires. Cette raison est toutefois loin d'être suffisante, car on ne manquera pas de constater que, même à formation identique, les femmes n'exercent pas les mêmes métiers que les hommes, ne s'orientent pas vers les mêmes secteurs d'activité, et n'accèdent pas aux mêmes grades, c'est-à-dire concrètement aux mêmes responsabilités et pouvoirs socioprofessionnels.

Les raisons des difficultés d'accès des femmes aux postes de responsabilités tiennent essentiellement à un phénomène de discrimination à l'embauche. Il est maintenant publiquement reconnu qu' « à tous les niveaux de l'emploi, pour une formation professionnelle sanctionnée par des diplômes identiques, les femmes sont souvent embauchées sur des postes de moindre qualification[1]. Le critère de l'infériorité intellectuelle, pas plus que celui de l'inaptitude physique ne peuvent être sérieusement mis en avant, les femmes n'étant pas moins diplômées à la sortie de l'école, bien au contraire (chap. II). Pour espérer rivaliser avec les hommes, il leur est souvent nécessaire de détenir un bagage scolaire plus important.

Cette discrimination à l'embauche est un indicateur de la moindre valeur sociale accordée généralement au travail des femmes. La qualification professionnelle requise pour l'exercice d'un emploi ne correspond pas à une simple adéquation entre formation scolaire et compétences techniques ; elle résulte d'un processus de gestion de la main-d'œuvre qui opère concrètement une distinction nette entre hommes et femmes.

Les aptitudes que l'on reconnaît — c'est-à-dire concrètement que les politiques de recrutement des employeurs publics ou privés reconnaissent — aux femmes ne sont généralement pas les mêmes que celles qu'on attribue aux hommes. Elles agissent directement sur la valeur sociale de leurs activités professionnelles

---

1. Rapport au ministre des Droits de la femme, 1982, *op. cit.,* p. 37.

respectives. En effet, les professions destinées aux femmes se fondent sur la reconnaissance de qualités « spécifiquement féminines » qui ne sont rien d'autres que des compétences domestiques dévolues aux femmes par tradition. La reconnaissance sociale par les employeurs d'une différence entre hommes et femmes, tant dans les capacités manuelles qu'intellectuelles, prend par conséquent sa source dans une différence de socialisation de sexe produite par le milieu familial d'origine. Les qualités de dextérité manuelle, de précision, d'accueil, de présentation, d'ordre, de méthode, de sens de l'organisation des tâches ménagères, etc., ont en effet été généralement acquises, ou sont supposées l'avoir été, dans l'éducation des jeunes filles. Ces qualités « souvent présentées comme inhérentes à la nature féminine »[1] sont particulièrement incarnées par un certain nombre d'emplois de l'industrie (habillement, confection...) et des services (commerce, hôtellerie, administration, éducation, santé...). La ségrégation professionnelle selon le sexe trouve ainsi sa légitimité idéologique dans l'éducation faite nature des rôles masculins et féminins.

C) *Conditions de rémunération et de travail des femmes.* — A emploi féminin, moindres qualifications, salaires et conditions de travail moins avantageux. La loi Roudy (du 13 juillet 1983), en posant le principe qu'il ne peut y avoir de discrimination à l'embauche en raison du sexe, et en réaffirmant le droit à l'égalité de rémunération entre hommes et femmes, reconnaît bien, de façon implicite, l'existence d'emplois et plus largement de carrières et de conditions de travail, réservés de fait à chaque sexe.

Nombre d'emplois tels que puéricultrices, cuisinières (de cantine), blanchisseuses, infirmières, secrétaires « appellent les bas salaires, non pas tant parce

---

1. M. Huet, *op. cit.,* p. 36.

qu'ils sont effectués par des femmes (...), mais parce qu'ils sont une extension des activités naturelles »[1]. Par « activités naturelles », il faut entendre les travaux non rétribués qu'elles exercent — ou sont supposées exercer —, dans le cadre des rapports domestiques (lavage, repassage, cuisine, garde et soins des enfants, mais aussi courrier et comptabilité domestiques, correspondance, etc.). L'infériorisation des femmes en matière de salaire tient également au fait que les métiers qu'elles occupent sont en cours de dévalorisation sociale, et donc d'abandon par les hommes. En effet, contrairement à une opinion répandue, ce n'est pas parce que les femmes arrivent massivement dans une profession que celle-ci se dévalorise. C'est la profession qui est déjà dévalorisée — ou en cours de dévalorisation — lorsqu'elles l'investissent. Cette inégalité de sexe devant le salaire joue toutes choses égales par ailleurs. En moyenne nationale, les salaires des femmes sont inférieurs de 25 à 30 % à ceux des hommes, pour des emplois semblables et à même niveau de qualification et d'ancienneté. Et plus les catégories professionnelles sur lesquelles on raisonne sont « élevées », plus l'écart de rémunération entre hommes et femmes se creuse.

Quand on évoque les conditions de travail, on a encore à l'esprit les garanties d'hygiène et de sécurité obtenues par les salariés, le plus souvent sur fond de luttes sociales et de drames humains. Les femmes échappent généralement aux travaux physiques les plus pénibles, salissants, toxiques et nocturnes. Elles connaissent cependant des cadences et une « pression temporelle » de travail plus draconiennes. Dans les rapports quotidiens à leur outil de production, elles sont les plus contraintes au travail imposé par la

---

1. A. Kartchevsky-Bulport, Travail féminin, travail des femmes : les enjeux des approches des spécialistes, in *Le sexe du travail. Structures familiales et système productif,* PUG, 1984, p. 149.

Tableau 17. — **Ecarts de salaire
entre les hommes et les femmes
selon la catégorie socioprofessionnelle (CS)
et la qualification détaillée
dans l'industrie et les services** (en %).

	Industrie	Services
Toutes qualifications	12,5	11,3
Ouvriers		
non qualifiés	9,8	-
qualifiés	15,1	-
très qualifiés	20,2	-
Employés		
non qualifiés	9,5	4,4
qualifiés	8,0	7,0
très qualifiés	8,2	10,8
Agents de Maîtrise		
1er niveau	12,8	11,3
2ème niveau	17,2	11,7
Techniciens		
ordinaires	7,3	9,5
supérieurs	15,6	15,6
Ingénieurs et cadres		
débutants	15,4	14,5
confirmés	17,2	19,1
supérieurs	28,9	39,3

Source : INSEE. Enquête sur la structure des salaires en 1986. J.-L. Lhéritier, *Données sociales, 1993,* p. 227. Le tableau se lit ainsi : En 1986, « toutes choses égales par ailleurs », c'est-à-dire à âge, ancienneté, cs, qualification détaillée, nationalité, secteur, etc., identiques, les hommes percevaient un salaire supérieur de 12,5 % à celui des femmes dans l'industrie. Pour les cadres confirmés de l'industrie, l'écart hommes/femmes était de 17,2 %.

machine, à la stricte répétitivité des gestes et des opérations identiques, et les plus assujetties à la rémunération au rendement. Serait-ce notre inconscient historique qui nous conduit à assigner une figure masculine au travail à la chaîne, ou avons-nous assisté, au cours de ces dernières décennies, à une transformation importante des rapports au travail, notamment au sein du monde ouvrier ? La réponse mériterait une investigation historique poussée. Toujours est-il que, de nos jours, les femmes subissent deux fois plus ce travail à la chaîne que les hommes[1]. L'ouvrier fordien[2] ne serait-il pas plus exactement aujourd'hui une ouvrière?

3. L'invention du travail à temps partiel féminin. —

L'intégration de plus en plus massive des femmes dans l'emploi salarié correspond à une division sociale du marché du travail dont la spécialisation sexuelle de certains secteurs est une illustration. Elle correspond également à l'invention de nouveaux modes de gestion de la main-d'œuvre.

A) *Temps choisi ou temps contraint?* — L'invention et la diffusion des emplois salariés à temps partiel concernent essentiellement les femmes : elles occupent 85 % d'entre eux. De nos jours, une femme sur quatre travaille à temps partiel, contre seulement un homme sur trente. C'est incontestablement un fait salarial féminin, sans que l'on puisse affirmer pour autant qu'il

Tableau 18. — **Part des actifs occupés à temps partiel (évolution 1982-1989)** (en %)

Statut	1982	1 9 8 9	
	Femmes	Femmes	Hommes
Ensemble	19,0	23,7	3,5
Non salariés :	25,7	24,3	4,2
Indépendants employeurs	16,0	16,0	2,9
Aides familiaux	32,4	34,6	26,2
Salariés :	17,8	23,6	3,4
Services domestiques	62,3	65,3	36,3
Secteur privé -autres	16,8	21,3	3,0
Etat et collectivités locales	14,7	23,9	5,0
Services publics	12,1	17,0	1,1

Source : INSEE, Enquêtes Emploi 1982 et 1989. Le tableau se lit ainsi : 19 % des femmes occupant un emploi en 1982 travaillent à temps partiel.

1. CNIDF-INSEE, *Femmes en chiffres,* 1986.
2. Henry Ford (1863-1947), constructeur automobile, a été le premier à rationaliser les méthodes de fabrication et à produire les voitures à la chaîne.

corresponde toujours aux impératifs de la vie familiale, ou aux souhaits exprimés par les femmes.

L'idée largement répandue que le temps partiel est un temps choisi par les femmes, qui concilie travail et vie de famille, est des plus réductrice. Il existe en réalité deux formes bien distinctes de travail à temps partiel.

Une première forme peut être en effet considérée comme un aménagement librement consenti par les femmes de leur temps de travail hebdomadaire. Ce travail à temps partiel est essentiellement l'apanage du secteur public. Depuis le début des années quatre-vingt, il désigne des durées d'emploi variables, supérieures ou inférieures au mi-temps traditionnel. Dans la pratique, il permet aux femmes de disposer de demi-journées, ou de journées entières, essentiellement le mercredi — après-midi —, jour de congé scolaire, pour s'occuper des enfants, ou des tâches domestiques (courses...), autrement dit pour convenances familiales et plus rarement personnelles. Les employées de la fonction publique représentent la catégorie type pour laquelle le temps partiel peut résulter d'un libre choix. Cette forme d'emploi « réservée », de fait, aux femmes, apparaît comme une émancipation de la condition féminine, censée répondre aux désirs des femmes de mieux concilier travail professionnel et vie de famille.

Une deuxième forme de travail à temps partiel, statistiquement dominante, est à mettre sur le compte des logiques du marché. Un certain nombre d'études[1] ont montré que la période d'apparition et d'essor du travail à temps partiel est postérieure aux années de forte expansion de l'activité féminine (années 1970-1975). La montée du travail à temps partiel est ainsi concomitante à l'approfondissement de la crise éco-

---

1. Cf. notamment M. Maruani, C. Nicole, *Au labeur des dames. Métiers masculins, emplois féminins,* Ed. Syros-Alternatives, 1989.

nomique, dans la deuxième moitié des années soixante-dix. Malgré cette crise économique, l'activité des femmes, à la différence de celle des hommes, ne s'est pas ralentie. En revanche, elle a fait l'objet de profondes mutations : à côté, et de plus en plus souvent à la place de l'emploi salarié à temps plein, et à durée indéterminée, se sont développés des statuts précaires tels que les contrats à durée déterminée, les emplois d'intérim, les stages[1], et autres emplois à temps partiel. Ces derniers ont pris beaucoup d'ampleur dans le secteur privé, notamment dans la grande distribution, avec les emplois de caissières, vendeuses, etc. Le secteur public n'est pas pour autant en reste : il est également un fort pourvoyeur d'emplois féminins à temps partiel[2]. On peut assimiler ces emplois à du « sous-emploi », puisqu'ils occupent des personnes en deçà de leurs capacités et de leur volonté de travailler[3]. Les mesures de lutte contre le chômage des jeunes, prises par l'Etat et les collectivités locales, qui ont donné naissance aux TUC (travaux d'utilité collective), ont ainsi fortement contribué au développement du travail à temps partiel. La distinction public/privé n'a alors, dans ce cas, pas grande pertinence. Le travail à temps partiel constitue ainsi un moyen utilisé par les employeurs pour rendre plus flexible leur main-d'œuvre, c'est-à-dire pour l'adapter aux vicissitudes du marché de l'emploi.

La flexibilité de l'activité féminine a incontestablement ouvert la porte à des emplois précaires, ou

---

1. J. Jacquier, La diversification des formes d'emploi en France, *Données sociales, 1990,* p. 58.
2. Les jeunes femmes de moins de 25 ans sont en effet les destinataires les plus nombreuses des dispositifs publics d'aide à l'insertion sociale et professionnelle. Les « stages 16-25 ans » comptent en 1989 une majorité de femmes (52,5%). Quant au dispositif TUC, il est assez fortement féminisé, puisqu'il compte, à la même date, 67% de jeunes femmes.
3. Si l'on reprend la définition du sous-emploi énoncée par C. Thélot, *in* Le sous-emploi a doublé en quatre ans, *Economie et Statistique,* n° 193-194, novembre-décembre 1986, p. 37-42.

emplois « faute de mieux » dont le travail à temps partiel fait partie. En se développant, ce dernier a accentué la division sexuelle du travail. Il touche en effet massivement les femmes salariées les moins diplômées, celles exerçant des professions subalternes, qui y voient, en temps de crise, essentiellement un moyen d'éviter le chômage.

B) *Partage du travail et chômage féminin.* — Il est par conséquent hasardeux de définir le travail à temps partiel comme un progrès social. Il n'y a, pour en juger, qu'à comptabiliser le nombre important de femmes travaillant à temps partiel, insatisfaites de leur situation et désireuses de travailler à temps plein. « Ceux qui rêvent du temps partiel ne sont pas ceux qui le pratiquent. »[1] Cette citation souligne que, le plus souvent, le travail à temps partiel est imposé aux femmes, sans qu'on leur demande leur avis. Partager le travail entre plusieurs salariées permet en effet à une entreprise, dans un contexte de crise, d'optimiser la gestion de son personnel, c'est-à-dire concrètement de faire travailler les personnes pendant les plages de

Tableau 19. — **Evolution du chômage selon le sexe** (en %).

	1985	1989	1990	1991
Hommes :				
15-24 ans	21,6	14,8	15,4	15,8
25-49 ans	6,2	6,1	5,9	6,0
50 ans et plus	5,9	6,1	5,4	5,4
Femmes :				
15-24 ans	30,5	24,2	24,0	24,0
25-49 ans	9,7	11,6	11,0	10,6
50 ans et plus	7,1	7,9	7,9	8,0
Ensemble :	10,1	9,5	9,2	9,0

Source : INSEE, Enquêtes Emploi.

1. Rapport Lucas, in *La Documentation française,* 1988.

temps désertées par les salariées à temps plein (fin d'après-midi, nocturnes, week-end)[1]. Le travail à temps partiel devient, en fin de compte, un instrument efficace de flexibilité de l'emploi féminin.

Notons enfin que les emplois à temps partiel, ou « à horaires réduits », selon les intitulés, sont les plus exposés aux risques de chômage, en raison de leur caractère souvent précaire. Au cours des dernières années, l'augmentation du chômage a été plus rapide pour les femmes que pour les hommes, l'écart entre les deux sexes se vérifiant à tous les âges.

De manière très contradictoire, l'extension du salariat féminin s'est donc conjugué avec un fort accroissement du chômage des femmes, supérieur à celui des hommes, et ce, quelle que soit la catégorie socioprofessionnelle occupée. La catégorie ouvrière a ici valeur d'exemple puisque le taux de chômage des femmes y est exactement le double de celui des hommes (en 1989, 21,8% contre 10,9%); cette disparité de sexes tendant à s'accentuer d'année en année, comme du reste dans l'ensemble des catégories socioprofessionnelles.

Tout comme les jeunes, les femmes subissent fortement les affres d'un chômage bien souvent de longue durée. Bien qu'au cours de ces dernières années l'ancienneté moyenne dans le chômage ait progressé pour les deux sexes, ce sont les femmes qui, à âge et à niveau de diplôme équivalents à ceux des hommes, connaissent les durées de chômage les plus longues, signe de leurs difficultés à retrouver le chemin de l'emploi. La spécificité du chômage féminin tient essentiellement au fait que les femmes composent les catégories de travailleurs les moins qualifiées, et donc les plus vulnérables sur le marché du travail.

---

1. Cf. M. Maruani, C. Nicole, *op. cit.*

III. — Vie familiale et vie professionnelle

La relation entre la vie familiale et la vie professionnelle des femmes est le plus souvent abordée par la
recherche d'effets directs entre l'une et l'autre sphère. Il
s'agit tantôt de mesurer le coût, en termes de promotion, de plan de carrière, etc., des événements familiaux (mariage, maternité, divorce) sur l'activité professionnelle des femmes, tantôt d'interroger les effets de
l'entrée dans l'emploi et de la poursuite de l'activité
des femmes sur la vie conjugale et le calendrier des
naissances.

**1. L'activité féminine : entre naissances et vie de
couple.** — Le mariage et la naissance des enfants sont
fréquemment considérés comme des obstacles à la
poursuite de l'activité féminine. Ces considérations
s'appuient, il est vrai, sur des faits irréfutables. Tout
d'abord, le taux d'activité des femmes mariées est
moindre que celui des femmes célibataires. Ensuite, les
femmes qui travaillent ont généralement moins d'enfants que celles qui sont inactives. Ces constats ne doivent pourtant pas cacher la complexité des relations
entre activité féminine, nuptialité et fécondité. On
constate en effet que le développement de l'activité
féminine a très largement bénéficié de l'afflux et du
maintien des mères de famille sur le marché du travail.
Le déclin des familles nombreuses explique en partie ce
phénomène. De même, de nos jours, l'arrivée d'un premier ou d'un deuxième enfant conduit moins souvent
la mère à cesser de travailler, même de façon tempo-
raire. En conséquence de quoi, l'écart de fécondité
entre mères actives et mères inactives a diminué[1]. Les
mères de un ou deux enfants sont de plus en plus des
femmes actives.

1. A. Léry, Les actives de 1982 n'ont pas moins d'enfants que celles
de 1968, *Economie et Statistique,* n° 171-172, novembre-décembre 1984,
p. 27.

Si la naissance du deuxième enfant entraîne rarement un « retour au foyer », doit-on logiquement en conclure que c'est la naissance du troisième enfant qui conduit les mères à s'arrêter de travailler? (tableau 20). La relation entre fécondité des familles nombreuses (de trois enfants et plus) et activité des mères est en fait plus complexe qu'il n'y paraît. Tout d'abord, la présence au foyer d'un troisième enfant est de moins en moins un obstacle important à la prise ou à la poursuite de l'activité des mères, puisqu'au début des années quatre-vingt-dix, 40% d'entre elles sont effectivement actives (contre 30% au milieu des années soixante-dix). Ensuite, après examen approfondi, on se rend compte que « la plus faible activité des mères de trois enfants ne semble pas due à la naissance du troisième, mais plutôt un arbitrage préexistant entre trajectoire professionnelle et trajectoire familiale »[1]. Ainsi, dans ces familles de trois enfants, une fraction importante des mères s'arrête de travailler avant même l'arrivée du premier enfant, ou au plus tard à sa naissance. On notera plus précisément avec S. Lollivier que

Tableau 20. — **Taux d'activité féminine selon le nombre d'enfants** (en %)

Age de la femme	Nombre d'enfants de moins de 18 ans					
	0	1	2	3	4 ou plus	Ensemble
15-24 ans	73,3	66,8	41,9	11,8	11,1	69,0
25-39 ans	90,2	82,5	73,2	46,7	24,6	73,7
40-54 ans	71,1	71,5	66,1	54,0	26,2	69,1
55 ans ou plus	13,9	33,2	36,2	31,0	n.s	14,1
Ensemble	39,0	75,6	70,5	47,8	24,7	49,5

Source : INSEE, Enquête Emploi 1989. G. Desplanques, M. de Saboulin, *Données sociales, 1990,* p. 281. Le tableau se lit ainsi : sur 100 femmes âgées de 40 à 54 ans, ayant 3 enfants de moins de 18 ans, 54 sont actives.

1. S. Lollivier, Activité et arrêt d'activité féminine : le diplôme et la famille, *Economie et Statistique,* n° 212, juillet-août 1988, p. 28-29.

« parmi les mères de trois enfants ayant cessé une activité, 44% se sont arrêtées avant l'arrivée du premier enfant ou dans l'année qui suivait, et seulement 8% à la naissance du troisième ou au cours de l'année suivante. Ainsi, les choix semblent plutôt relever d'une stratégie familiale »[1], où la décision de s'arrêter durablement pour se consacrer à ses enfants intervient très tôt dans le calendrier des naissances.

2. Activité féminine et nouvelles structures familiales.
— Autre phénomène souvent mis en relation avec le développement de l'activité féminine : le divorce[2]. La progression de l'activité féminine est souvent évoquée en parallèle de l'augmentation du nombre de divorces, quand elle n'est pas considérée plus directement comme un facteur de risque de rupture du lien conjugal. Il est vrai que les demandes de divorce, qu'elles soient « par consentement mutuel », ou « pour faute », sont majoritairement à l'initiative des femmes (dans plus de 7 cas sur 10). La proportion des demandes de divorce émanant des femmes actives est, quant à elle, encore plus forte, et ne fait que s'accroître.

En réalité, si commode que puisse être l'argumentation, l'autonomie professionnelle des femmes ne suffit pas à expliquer l'importance de l'accroissement des divorces en France. Deux éléments permettent d'argumenter dans ce sens. D'une part, ce sont les femmes les moins diplômées et donc disposant des revenus les plus bas, qui, en proportion, sollicitent le plus souvent la rupture. D'autre part, constater un lien entre l'activité des femmes et leur attitude face au divorce procède le plus souvent d'une vision statique. En adoptant un point de vue différent, diachronique, on observe que la relation de causalité entre activité féminine et divorce

1. S. Lollivier, *op. cit.,* p. 28-29.
2. En 1987, l'indice de divortialité, stable depuis 1985, est de 30,5 divorces pour 100 mariages.

doit être lue en sens inverse : « Prendre un emploi pour rompre plutôt que rompre parce qu'on a un emploi. »[1] Voilà qui résumerait plus exactement l'attitude des femmes face au divorce. Autrement dit, l'activité professionnelle est un moyen pour les femmes de prendre leur autonomie en cas de crise du couple, plus qu'elle n'est directement responsable de la dissolution du lien conjugal.

Ce faisant, la gestion des nouveaux rapports parentaux consécutifs aux divorces ou aux séparations incombe massivement aux femmes. Les nouvelles familles monoparentales — réunissant un parent et le ou les enfants — sont l'affaire des femmes. Avec l'appui d'une législation sur la garde des enfants, qui, sauf exception, consacre la priorité au rôle de mère, les femmes assument la responsabilité de la continuité sociale, éthique et affective dans la famille. Ces nouvelles responsabilités sociales mettent quasiment les femmes dans l'obligation de travailler professionnellement. On ne s'étonnera donc pas d'apprendre que ce sont ces familles monoparentales qui ont le plus numériquement progressé au sein de la catégorie des mères actives.

La diminution des familles nombreuses, corollaire d'une chute de la fécondité depuis 1964, l'augmentation très nette des divorces, mais également, depuis 1972, l'effritement très sensible du mariage et le développement d'un célibat féminin plus durable constituent autant d'indicateurs des changements en cours dans les structures familiales. L'énoncé de pareilles transformations n'a d'intérêt ici que dans la mesure où la question du rôle social des femmes dans ces processus est implicitement posée. Tout se passe comme si on assistait à une redéfinition de la famille, c'est-à-dire à la fois à une précarisation des formes

---

1. M.-F. Valetas, Le divorce en plus : ruptures et continuités, *Société française,* n° 26, 1988, p. 22.

d'alliance et à un maintien très fort des liens de filiation entre la mère et ses enfants, même en cas de séparation du couple. De là à penser que l' « éclatement » des formes familiales traditionnelles auquel on assiste est à mettre en relation avec le développement de la précarité de l'emploi féminin, il n'y a qu'un pas que n'hésitent pas à franchir certaines analyses[1].

3. **Activité professionnelle et rapports domestiques.** — Les discours ambiants ne cessent de suggérer, quand ils ne le décrètent pas haut et fort, que le partage des tâches — et du pouvoir — entre les deux conjoints, a évolué positivement, c'est-à-dire vers une prise en charge plus égalitaire des affaires conjugales. Des indices, il est vrai, vont dans ce sens. C'est ainsi que les hommes participent plus activement au travail domestique lorsque leur conjointe exerce une activité professionnelle. De même, on enregistre une diminution du temps que les femmes consacrent au travail domestique, lorsqu'elles occupent un emploi. Il n'en reste pas moins vrai que les femmes cumulent les responsabilités de leur emploi et la conduite principale des tâches domestiques. Un certain nombre d'enquêtes statistiques attestent clairement le caractère typiquement féminin de la « deuxième journée ménagère »[2], faisant suite à une journée de travail hors domicile. En définitive, les formes d'organisation domestique[3] n'évoluent que lentement. Si on peut supposer que l'égalitarisme a progressé en matière de rôles conjugaux, selon l'ex-

1. A.-M. Barrère-Maurisson, *op. cit.*
2. Cf. E. Maurin, Types de pratiques, types de journées et déterminants sociaux de la vie quotidienne, *Economie et Statistique,* n° 223, juillet-août 1989, p. 29-46.
3. C'est-à-dire, selon la définition de M. Glaude et F. de Singly, la « manière dont les conjoints délimitent, dans l'univers spatial et symbolique (de leur domicile), le territoire qu'ils partagent ensemble et les domaines que chacun se réserve », *in* L'organisation domestique : pouvoir et négociation?, *Economie et Statistique,* n° 187, avril 1986, p. 4.

pression de Y. Lemel[1], il stagne dans les pratiques quotidiennes, notamment dans la répartition des tâches domestiques. Même lorsqu'il y a division des tâches ménagères, leur contenu reproduit la différenciation traditionnelle des rôles masculins et féminins. Les femmes, qu'elles aient un emploi ou pas, sont spécialisées dans la cuisine, la lessive, le ménage courant et les soins aux enfants; les hommes font en priorité les travaux ménagers les plus liés à l'extérieur (voiture, jardinage, chauffage)[2], ainsi que ceux relevant du bricolage et des réparations diverses.

4. **Mobilité féminine et « choix » matrimonial.** — Les femmes ont-elles, dans la période contemporaine, bouleversé les relations entre les sexes ? Dans l'univers familial, la démocratisation des rapports domestiques est initiée par les femmes de catégories supérieures, dotées d'un meilleur niveau d'instruction et manifestant une plus grande assiduité sur le marché du travail. Dans l'univers professionnel, ces mêmes attributs ont également produit leurs effets sur les rapports hiérarchiques. Les femmes ont en effet pu accéder à des professions qui jusqu'alors leur étaient fermées. Dans les emplois et les fonctions techniques de haut niveau, les femmes ne font plus exception : 10% des ingénieurs et cadres d'entreprises sont des femmes (contre 3% au début des années soixante)[3]. La féminisation des emplois d'encadrement en est pourtant à ses balbutiements. Elle est d'ailleurs plus sensible dans la fonction publique que dans les entreprises privées.

En somme, les innovations sociales « viennent essentiellement d'en haut ». Elles sont principalement

1. Y. Lemel, Indifférenciation progressive des modèles de rôles féminin et masculin, in L. Dirn, *La société française en tendances,* Paris, PUF, 1990.
2. Cf. A. Chadeau, A. Fouquet, Peut-on mesurer le travail domestique?, *Economie et Statistique,* n° 136, septembre 1981, p. 31.
3. O. Marchand, C. Thélot, *op. cit.,* p. 105.

portées par les femmes d'origine sociale et de niveau d'études supérieurs. Ce sont ces catégories de femmes qui ont fortement et durablement investi dans le système éducatif, aidées qu'elles étaient par leur milieu familial d'origine. Ce sont elles qui ont acquis une autonomie significative dans leur statut professionnel et matrimonial : activité professionnelle plus continue, chômage moins élevé, mariage éventuel plus tardif, descendance moins nombreuse, etc.

Toutefois, pour une femme d'origine sociale supérieure, les inégalités de sexe ne se conjurent jamais facilement. Serait-ce pour éviter les difficultés propres aux relations de pouvoir conjugal, et ainsi accroître leurs chances de promotion sociale, qu'il leur soit nécessaire de rester délibérément célibataires? F. de Singly[1] est de cet avis. On le rejoindra en constatant que le célibat constitue pour les femmes la meilleure voie d'accès aux professions supérieures. En les déchargeant des tâches domestiques, il est à la fois

Tableau 21. — **Le taux de célibat des hommes et des femmes selon la catégorie socioprofessionnelle** (en %)

Catégorie socio-professionnelle	Taux de célibat	
	Femmes	Hommes
Cadres supérieurs	24,0	2,9
Cadres moyens	18,0	4,6
Employés	13,7	7,8
Ouvriers	9,6	8,6
Agriculteurs exploitants	3,3	17,3
Patrons de l'industrie et du commerce	3,2	6,5
Ensemble	10,4	9,0

Source : INSEE, Enquête FQP de 1970. Champ : actifs de 35 à 52 ans. F. de Singly, *Economie et Statistique*, n° 142, mars 1982.

1. F. de Singly, Mariage, dot scolaire et position sociale, *Economie et Statistique*, n° 142, mars 1982.

synonyme d'un meilleur rendement de leurs diplômes sur le marché du travail, et d'une plus grande progression dans la carrière professionnelle. C'est ainsi qu'à l'inverse des hommes les femmes cadres sont plus souvent célibataires que leurs consœurs ouvrières ou employées.

Destin professionnel et destin matrimonial se conjuguent donc très différemment selon les sexes. La forme normale (c'est-à-dire statistiquement dominante) de la vie privée, qu'incarne le mariage, « est par conséquent plus fréquemment associée chez les hommes et moins fréquemment chez les femmes à une position élevée dans la hiérarchie professionnelle »[1] et sociale.

1. F. de Singly, *op. cit.,* p. 11.

Conclusion

LA FÉMINISATION
DE LA SOCIÉTÉ FRANÇAISE

La société française se féminise. Cette formule n'a rien d'un jugement moral. Elle se veut, en conclusion de notre propos, un constat objectif. La féminisation de la société est tout d'abord d'ordre quantitatif : il y a plus de femmes que d'hommes dans la population, cet écart s'accentuant avec l'âge[1]. En vieillissant, la France fait apparaître chaque jour davantage la supériorité numérique des femmes. Leur plus grande longévité[2] est sans doute une caractéristique majeure de la société française, qui reflète les différences de modes de vie entre les sexes (conditions de travail, consommation, santé, etc.). La féminisation de la société est également d'ordre qualitatif : les femmes sont de plus en plus présentes dans les différents domaines de la vie sociale. Cette situation constitue dorénavant une norme. Par un investissement massif dans l'école, elles obtiennent plus fréquemment des diplômes que les hommes. Par un engagement accru dans la vie professionnelle, elles deviennent des acteurs économiques à part entière.

Toutefois ce processus de féminisation n'est pas uni-

1. Au recensement de population de 1990, on compte 28,9 millions de femmes et 27,4 millions d'hommes. A 50 ans, il y a autant de femmes que d'hommes, à 80 ans deux fois plus, et à 95 ans cinq fois plus.
2. En 1820 : l'écart moyen d'espérance de vie est de 1,6 an en faveur des femmes, puis augmente de façon ininterrompue : 2,4 ans en 1880, 5,7 ans en 1950, 7,9 ans en 1977, 8 ans en 1990. L'espérance de vie moyenne est à cette dernière date de 81 ans chez les femmes et de 73 ans chez les hommes. (Source INSEE.)

voque, ni tout rose, ni tout noir. L'évolution du statut social des femmes est contradictoire. Citoyennes récentes de la société française, elles ont certainement forcé les portes de l'émancipation. Les avantages qu'elles retirent des transformations intervenues dans l'école, l'emploi et la famille, au cours de cette deuxième moitié du xxᵉ siècle, ont valeur d'exemple. Mais les nouveaux droits qu'elles ont conquis ne peuvent masquer les difficultés, résistances et obstacles qui jalonnent toujours les différentes étapes de leur existence.

La plus grande visibilité sociale des femmes n'équivaut pas à une réelle démocratisation de leurs rapports avec les hommes. Leur progression spectaculaire à l'école et dans l'emploi salarié ne peut être assimilée à une réelle mixité ; la hiérarchie entre les sexes dans l'accès aux filières scolaires et aux professions reste encore de fait la règle. De même, le partage des responsabilités éducatives et domestiques entre conjoints reste inégalitaire ; sans compter les situations de plus en plus fréquentes — de « monoparentalité » —, tout particulièrement après divorce, où les mères se retrouvent seules à élever les enfants.

Les changements qu'ont connus les femmes, et qu'elles ont le plus souvent initiés, ne permettent pas non plus de conclure à une plus grande similitude avec les hommes. Malgré quelques rapprochements constatés, les modèles de comportements masculin et féminin restent encore fortement tranchés. Les discriminations de sexes dans la société désignent concrètement des différences de fonctions, statuts, droits et devoirs. Ces inégalités ont connu des variations à travers le temps. Celles d'aujourd'hui ne sont pas celles d'hier, ni celles, probablement, de demain. Certaines, par trop flagrantes, s'atténuent ou disparaissent, du moins à première vue ; d'autres, plus discrètes, voient le jour. La « symétrisation des rôles sociaux entre les sexes », c'est-à-dire leur caractère interchangeable, est par conséquent loin d'être de mise ; l'acteur social n'est pas un être androgyne ! L'histoire française contemporaine témoigne en définitive d'une émancipation féminine réglementée, dans les limites autorisées de la reproduction des identités de sexes, c'est-à-dire dans l'ordre de leurs inégalités.

Les femmes occupent des places « réservées » dans les différentes institutions décrites tout au long de ces pages. Cette spécificité féminine présumée s'exprime dans nos représentations quotidiennes. L'image sociale de la femme présentée dans les médias, notamment à travers la publicité, n'est pas neutre, et constitue de ce point de vue un miroir révélateur de nos mentalités et de nos stéréotypes de sexes. Le personnage traditionnel de la mère de famille (vantant les mérites des produits d'entretien, aliments... surgelés, et autres appareils ménagers) y est très fréquent, même si les publicitaires s'évertuent depuis peu à euphémiser les relations domestiques, en montrant des maris modèles, les mains dans la vaisselle, ou inquiets de la qualité des couches-culottes. Quand la femme est présentée en situation professionnelle, elle est soit en relation de subordination hiérarchique, soit un simple alibi esthétique qui atteint son paroxysme dans l'irréel d'une situation où une jeune femme « sexy » préside un conseil d'administration du haut de ses 20 ans. Tout concourt, de façon manifeste ou subreptice, à présenter, dans le message publicitaire verbal, ou dans le non-dit qui l'accompagne, la femme comme le personnage incarnant « naturellement » les qualités de beauté, séduction, charme, élégance, etc. Mieux que quiconque, le personnage féminin est attendu exprimer ces vertus en toutes occasions, c'est-à-dire dans les domaines de la consommation les plus divers, plastiques et diététiques (de la ligne de sous-vêtements, à l'aliment allégé). La nudité de son corps, à laquelle les publicités ont souvent recours, a une fonction symbolique précise. Gage de sa féminité, de sa finesse, et de sa douceur, elle fait coïncider l'image de la femme à celle de nature et de pureté, et constitue à ce titre un argument efficace de vente. Pour qu'il n'y ait pas confusion ou rapprochement des genres, les rares publicités dévoilant des corps nus d'hommes s'ingénient à souligner l'indubitable virilité de ces « mâles » qui osent se découvrir. En règle générale, l'image publicitaire de la femme corrobore les principaux rôles observés dans la réalité, qui lui semblent destinés en propre. Mieux, elle les accentue, comme pour renforcer le préjugé devenu vérité qu'il existe des univers bien spécifiques aux hommes et aux femmes, et qu'en conséquence chacun doit rester à sa place, pour le bien de tous.

« Le social se superpose au naturel », mieux il s'y confond en l'intériorisant! Les différences sociales les plus voyantes entre les sexes puisent en partie leur fondement dans les caractéristiques biologiques de chacun d'entre eux. La fécondité des femmes, leur moindre force physique, etc., constituent autant d' « alibis de la nature » pour légitimer les représentations et les attitudes qui leur sont généralement assignées. Les images et les fonctions sociales dévolues aux femmes s'enracinent si profondément dans leurs propriétés innées ou supposées telles, qu'elles s'imposent au bout du compte, dans les esprits, comme allant de soi, avec l'évidence du naturel. La division sociale entre les hommes et les femmes est d'autant plus efficace que la définition sociale des sexes s'appuie sur l'héritage d'une éducation, voire d'une inculcation, dès la naissance, de leur assignation respective à des places différentes dans la société.

C'est cette socialisation, c'est-à-dire cette façon qu'ont les individus d'intérioriser, dans leurs conduites et leurs opinions, les modèles d'attribution des rôles masculins et féminins, qui rend en somme le social plus vrai que nature, l'identité sociale des hommes et des femmes plus prégnante que leur identité biologique. En portant à la conscience commune la situation contrastée de la femme, dans la famille, l'école et le marché du travail, lieux conventionnels de la reproduction des différences de sexes, cet ouvrage a mis ainsi en évidence l'efficience de ces modèles culturels. Il a également permis de mesurer les avancées sociales réalisées sur le front des stéréotypes de sexes.

BIBLIOGRAPHIE

Ariès P., *L'enfant et la vie familiale sous l'Ancien Régime*, Paris, Seuil, 1973.

Badinter E., *L'amour en plus (Histoire de l'amour maternel, XVIIe-XXe siècle)*, Paris, Flammarion, 1980.

Barrère-Maurisson M.-A., *La division familiale du travail*, Paris, PUF, 1992.

Battagliola F., *La fin du mariage ?*, Paris, Syros, 1988.

Baudelot C., Establet R., *Allez les filles !*, Seuil, coll. « L'Epreuve des faits », 1992.

Beauvoir S. de, *Le deuxième sexe*, Paris, Gallimard, coll. « Idées », 1981 (1949).

Belotti E.-G., *Du côté des petites filles*, Paris, Editions des Femmes, 1975.

Bourdieu P., Passeron J.-C., *La reproduction*, Editions de Minuit, 1970.

CNIDF-INSEE, *Femmes en chiffres*, 1986.

Collectif, *Le sexe du travail. Structures familiales et système productif*, PUG, 1984.

Commaille J., *Les stratégies des femmes. Travail, famille et politique*, La Découverte, 1993.

Duby G., Perrot M. (dirigé par), *Histoire des femmes en Occident*, Paris, Plon, 1991.

Duru-Bellat M., *L'école des filles. Quelle formation pour quels rôles sociaux ?*, L'Harmattan, 1990.

Establet R., *L'école est-elle rentable ?*, Paris, PUF, 1987.

Flandrin J.-L., *Familles*, Seuil, 1984.

Galland O., *Sociologie de la jeunesse. L'entrée dans la vie*, Armand Colin, 1991.

INSEE, Secrétariat d'Etat aux droits des femmes et à la vie quotidienne, *Les femmes*, série « Contours et caractères », Paris, 1991.

Kergoat D., *Les ouvrières*, Paris, Le Sycomore, 1982.

Laqueur T., *La fabrique du sexe. Essai sur le corps et le genre en Occident*, Gallimard, 1992.

Lelièvre C., Lelièvre F., *Histoire de la scolarisation des filles*, Paris, Nathan, 1991.

Marchand O., Thélot C., *Deux siècles de travail en France*, INSEE/Etudes, 1991.

Maruani M., Nicole C., *Au labeur des dames. Métiers masculins, emplois féminins*, Syros-Alternatives, 1989.

Mayeur F., *L'éducation des filles en France au XIXe*, Paris, Hachette, 1979.

Michel A., *Activité professionnelle de la femme et vie conjugale*, Paris, Ed. du CNRS, 1974.

Michel A. (dirigé par), *Les femmes dans la société marchande*, PUF, 1978.

Noguerol D., *Discriminations sexuelles et droits européens*, Masson, 1993.

Perrot M. (dirigé par), *Une histoire des femmes est-elle possible ?,* Paris, Rivages, 1984.

Prost A., *Histoire de l'enseignement en France,* Armand Colin, 1968.

Rapport au ministre des Droits de la femme, *Les femmes en France dans une société d'inégalités,* La Documentation française, 1982.

Roussel L., *La famille incertaine,* Paris, Odile Jacob, 1989.

Scott J.-W., Tilly L., *Les femmes, le travail et la famille,* Rivages, 1987.

Segalen M., *Amours et mariages de l'ancienne France,* Paris, Berger-Levrault, 1981.

Shorter E., *Naissance de la famille moderne,* Paris, Seuil, 1977.

Shorter E., *Le corps des femmes,* Paris, Seuil, 1984.

Singly F. de, *Fortune et infortune de la femme mariée,* Paris, PUF, 1987.

Singly F. de (dirigé par), *La famille. L'état des savoirs,* Paris, La Découverte, 1991.

Sonnet M., *L'éducation des filles au temps des Lumières,* Paris, Les Editions du Cerf, 1987.

Sullerot E. (dirigé par), *Le fait féminin. Qu'est-ce qu'une femme ?,* Paris, Fayard, 1978.

On mentionnera parmi les numéros spéciaux de revue consacrés aux relations entre sexes :

Actes de la Recherche en sciences sociales : Masculin/féminin, 1 et 2, n° 83-84, juin-septembre 1990.

TABLE DES MATIÈRES

Imprimé en France
Imprimerie des Presses Universitaires de France
73, avenue Ronsard, 41100 Vendôme
Octobre 1996 — Nº 43 225